FONTAINEBLEAU
ESCALADES
ET RANDONNÉES

urs, amis varappeurs

réalisée par une poignée d'amis passion-

e susciter les critiques, remarques et sug-
nneurs afin de pouvoir corriger les erreurs
névitables dans ce genre d'ouvrage. Les
nce de votre collaboration.
toute responsabilité concernant les acci-
ratique de l'escalade sur les lieux décrits

rciements

s les personnes qui ont participé direc-
ide :
nsi que Mmes Ghislaine Beaux, Corinne
é, et MM. François Beaux, Marcel Brot,
Lucien Deschamps, Pierre Nédélec, Guy
ate, Tony Vincent, le Groupe de Bleau
udon ainsi que M. Girard, chef du centre
guide doit également beaucoup à Claude
Montets en 1982.
dith Claire Gérin.

Paris, 1986. Tous droits réservés.
0-7. Imprimé en France.

Amis randonne

Cette œuvre collective a été
nés et amoureux de Bleau.

Le souhait des auteurs est d
gestions des varappeurs et rando
et omissions malheureusement i
auteurs vous remercient par ava

N.B. : Les auteurs déclinent
dents pouvant survenir lors de la
dans cet ouvrage.

Reme

Les auteurs remercient toute
tement ou indirectement à ce gu
En particulier Antoine Melchior ai
Cuvilliers, Françoise Montchauss
Bernard Canceill, Bruno Chrétien,
Mareau, Gérard Neff, Michel The
(G.D.B.), Mme Bonnard et M. De
O.N.F. de Seine-et-Marne. Ce peti
Chautemps, disparu aux Grands
Les photos noires sont de E

© Les Éditions Arthaud,
ISBN 2-7003-055

PRÉFACE

(de la 1ʳᵉ édition 1982)
de Maurice MARTIN* et Roland TRUFFAUT

Entre le grimpeur en chaussures à clous des années trente, et celui — certes fantaisiste — escaladant la D.J. au clair de lune avec un bougeoir dans la bouche, il y a tout un monde intermédiaire de varappeurs qui a subi une importante mutation.

Les grimpeurs, à l'image des autres hommes de la société, n'auraient-ils pas succombé à cette séduction de la technologie ?

Ainsi de la longue pratique de l'escalade Bloc à Bloc (l'amusant « Porte à Porte » du langage des initiés), on en est venu presque exclusivement à l'escalade des circuits.

Le présent guide en est le reflet ; tout le terrain de jeu du massif est traité en parcours fléchés, décrits d'une manière fort stricte, mais laissant toutefois le terrain libre pour ceux qui préfèrent conserver leur liberté et bâtir leur itinéraire au gré du Bloc à Bloc.

La diversité des groupes de rochers décrits dans ce livre facilitera ces choix, et en montrant les possibilités considérables offertes aux varappeurs, devrait contribuer à un étalement bénéfique dans l'espace, en limitant la surfréquentation de secteurs vedettes ou à la mode.

Mais ce *Fontainebleau* n'est pas seulement résevé aux grimpeurs. Les randonneurs aussi y trouveront leur compte. En effet, les deux disciplines, bien que fort éloignées dans leur esprit et dans leur pratique, se déroulent sur le même terrain.

Faut-il noter aussi que la supériorité numérique des randonneurs et les impératifs de l'édition, font que ce guide doit réunir le plus d'adeptes possible, car on ne peut pas vivre que d'amour et d'eau fraîche...

Donc, le randonneur — ou, pourquoi pas, le grimpeur — trouvera aussi sa moisson d'excursions très variées, et on lui suggère des parcours au travers de multiples crêtes et vallons secrets discrètement ouverts aux plus aventureux.

Que l'équipe, qui, à des titres bien divers, et dans des parts bien inégales, a réalisé ce *Fontainebleau, Escalades et Randonnées*, ait la satisfaction d'avoir contribué à la connaissance de ce « Bleau » où tant d'hommes — et de femmes — ont trouvé leur Fontaine de Jouvence. Mais il faut, aujourd'hui pour demain, sauver ce trésor ; crions « alerte au suréquipement, halte aux nouveaux jalonnements sauvages » ; protégeons jalousement les secteurs encore vierges ; prêchons l'éthique de discrétion et de propreté prônée et concrétisée par le petit groupe qui a pris en charge, ces dernières années, la responsabilité d'orienter les initiatives.

Que les préfaciers souhaitent au grimpeur d'aujourd'hui et de demain qu'il reste d'abord un « Bleausard ».

Qu'il échappe à l'envahissement de la technocratie, et qu'en engrangeant son merveilleux savoir, il conserve ce goût de l'humour qui a conduit le grimpeur d'hier.

Et qu'il continue d'aller à Bleau pour que sa joie demeure.

Maurice MARTIN* et Roland TRUFFAUT
de là cordée de rédaction du BLEAUSARD
Journal humoristique de Bleau et d'ailleurs (1945-1953)

(*) *Maurice Martin (1910-1983).*
Il a choisi de nous quitter en automne 1983. C'est à l'orée de la forêt de Fontainebleau qu'il avait souhaité se fixer, après avoir parcouru les montagnes de la terre et voué sa carrière aux instances de la montagne : Secrétaire de la F.F.M. et du C.A.F. à l'ombre du Président Lucien Devies.
Réalisateur des plus classiques pages d'écriture de cette ère de l'escalade sur circuits : le Mauve de la D.J., le Vert et l'Orange (actuel Bleu) du Maunoury et auteur des premiers et nombreux topos sur l'escalade bleausarde. Enfin pour conclure, le peintre du merveilleux circuit Rouge (les 25 bosses ou les 1 000 m) du massif des Trois-Pignons qui restera dans notre mémoire, le circuit Maurice Martin.

Jean-Claude Beauregard

Introduction

Depuis des siècles, les hommes ont trouvé dans la forêt de Fontainebleau un lieu de production, de distraction, d'évasion, de contemplation, de réflexion et de récréation. Chacun y a sa place : amis de la forêt, bûcherons, carriers, cavaliers, chasseurs, chercheurs, forestiers, naturalistes, peintres, poètes, pétroliers, randonneurs et rochassiers.

Le massif de Fontainebleau, au sud-est de Paris, s'étend de Palaiseau au nord à Nemours au sud, de Moret-sur-Loing à l'est à Maincourt à l'ouest, sur plus de 30 000 hectares, situés à cheval, pour l'essentiel, sur les départements de Seine-et-Marne et de l'Essonne. Autour des magnifiques forêts domaniales de Fontainebleau et des Trois-Pignons (environ 23 000 hectares) gravitent ses satellites : bois domaniaux de Poligny et Nanteau, forêt communale de Nemours, Chaintreauville, Le Puiselet, bois de la Commanderie à Larchant, Recloses, vallées de l'École, de l'Essonne et de la Juine, ainsi que leurs bordures forestières : Chamarande, Villeneuve-sur-Auvers, Malesherbes, Boutigny-sur-Essonne, d'Huison-Longueville, Videlles, Beauvais, Mondeville, Nainville-les-Roches ; puis, au nord à la dérive, le parc de La Troche ; enfin, à l'ouest, Maincourt. Ces lieux présentent la même originalité, une symbiose de sable blanc, de rochers de grès mis à nu et d'arbres aux essences variées.

La forêt domaniale de Fontainebleau et celle des Trois-Pignons, ainsi que certaines forêts communales et privées, sont gérées par l'Office National des Forêts (O.N.F.) sous la tutelle du ministère de l'Agriculture. Le rôle de l'O.N.F. concerne à la fois l'entretien et la protection des espaces boisés, et l'accueil du public dans le cadre des activités de pleine nature et dans le respect du milieu. La protection de la forêt et sa propreté doive retenir l'attention de tous les utilisateurs de l'espace forestier.

Il est recommandé :

— de ne pas laisser des objets de valeur dans son véhicule ou dans son sac à dos au pied des rochers en raison des vols de plus en plus nombreux ;

— do not leave valuable items in your car, do not leave your rucksack unattended as there is an increasing problem of theft.

— wegen der immer häufiger Beraubungen ist wichtig, keine Wertsachen im Wagen oder im Rücksack neben dem Felsenblock liegenzulassen.

— de respecter les aménagements mis à la disposition des usagers : panneaux d'information ou de signalisation, corbeilles, bancs, tables de pique-nique, pompes, etc. ;

— de ne pas effacer ou modifier les balisages existants ;

— de ne pas pénétrer hors des sentiers balisés, de ne pas s'écarter des allées forestières ;

— d'utiliser les nombreuses aires de stationnement mises à la disposition du public et de garer correctement son véhicule ;

— de rapporter avec soi les reliefs du pique-nique ou de les déposer dans les corbeilles destinées à cet usage, mais surtout, de ne pas les enterrer à cause des animaux ;

— de ne pas abandonner sur place les morceaux de chiffons, moquettes etc. utilisés pour l'escalade.

— d'éviter de fumer en forêt en raison des risques graves d'incendie.

Il est strictement interdit :

— de faire du feu (bois, barbecue, réchaud, etc.) ailleurs que sur les terrains de camping reconnus ;

— de couper arbres, arbustes, ou de les mutiler, de piétiner les jeunes plants, de pénétrer dans les parcelles en régénération ;

— de construire ou d'aménager des abris en branchages et à plus forte raison en dur, de transformer les auvents des grottes en bivouac ;

— de prélever champignons, mousses, fruits sauvages, terre, feuilles mortes, ainsi que les plantes du sous-bois telles que le houx, la bruyère, les genêts, etc. ;

— de ramasser du bois mort sans un permis (qui peut être obtenu auprès des agents forestiers) ;

— de créer des sentiers, des pistes, des circuits ; de poser des balises de toutes sortes sans l'accord de l'O.N.F. ;

— laisser chiens et animaux divaguer et courir après le gibier (rage) ;

— d'utiliser des instruments sonores (magnétophones, transistors, etc.) ;

— de pénétrer dans les réserves biologiques, signalées par des panneaux, afin de ne pas troubler l'évolution naturelle de la faune, de la flore et d'éviter le risque de blessures causées par la chute des branches mortes, aucune coupe d'arbre n'étant effectuée dans ces parcelles ;

— de laisser sur place les reliefs de pique-nique ;

— de stationner devant les barrières (incendie ou secours) ;

— de pénétrer avec un véhicule ou un engin à moteur à l'intérieur des peuplements forestiers ou sur les chemins fermés par des barrières ;

— de camper ou de bivouaquer à l'intérieur de la forêt.

L'inobservation de ces interdictions pleines de bon sens est sanctionnée par de fortes amendes. Les agents techniques forestiers sont assermentés et chargés de faire appliquer le code forestier.

LE CO.SI.ROC. [1]

Comité de défense des *si*tes et des *roc*hers d'escalade

Né en 1962, de la volonté d'amoureux de la nature soucieux de sa protection, il avait pour but essentiel de coordonner les actions de certaines grandes associations. Il parvint à la reconnaissance d'utilité publique du massif des Trois-Pignons, et put en outre s'opposer aux constructions sauvages ainsi qu'à la privatisation de Malesherbes. Pour mémoire, le Comité de défense des sites et des rochers d'escalade a été constitué en association à but non lucratif en 1967 sous le sigle CO.SI.ROC. A cette date, une commission spéciale vit le jour pour s'occuper en permanence des problèmes posés par la création, l'évolution et l'entretien des circuits d'escalade à Fontainebleau.

Le CO.SI.ROC. rassemble actuellement 13 associations qui s'intéressent aux atteintes portées aux sites naturels et aux espaces verts. Depuis sa création, le CO.SI.ROC. a souvent mené avec succès ou épaulé vigoureusement des actions qui ont abouti à la naissance de réserves naturelles, au classement à l'inventaire des sites, au rattachement aux forêts domaniales.

Parmi ces opérations, on peut citer :

— la création de la base de plein air et de loisirs de Buthiers-Malesherbes permettant d'éviter la privatisation ;

— le rattachement du massif des Trois-Pignons à la forêt domaniale et la création d'une zone de silence interdite aux véhicules à moteur ;

— la remise en état de la carrière de La Troche et sa transformation en école d'escalade après son acquisition par les communes d'Orsay et de Palaiseau ;

— le classement des bois et des rochers du Parc (Yonne) ;

— l'acquisition de certaines parcelles de La Roque (Seine-Maritime) ;

— la solution, favorable aux grimpeurs, des problèmes posés par les diverses interdictions d'escalader sur les falaises de Buoux.

Le CO.SI.ROC. est un interlocuteur reconnu par l'administration de l'Office Nationale des Forêts (O.N.F.) et agréé auprès des corps constitués.

La formule des circuits d'escalade est devenue très vite populaire. En 1947, on dénombrait 1 circuit ; en 1960, 38 ; en 1970, 100 ; en 1975, 160 ; en 1980, 180.

Afin de maîtriser cette croissance, une commission des circuits d'escalade a été constituée en 1967 au sein du CO.SI.ROC.

La Commission recommande instamment :

— de n'entreprendre ni balisage ni travaux de quelque nature que ce soit (sentier, circuit, piste,...) sans lui en faire part ;

— de respecter les équipements mis à la disposition du public, des grimpeurs et des randonneurs ;

— de ne pas tailler de prises ni de les casser ; de ne pas utiliser de pitons, ce qui entraîne une dégradation du rocher ;

— de lui faire part de vos constatations, remarques, critiques et de venir participer à ses travaux, en particulier à l'entretien des circuits.

Depuis 1981, une commission a été constituée pour traiter les questions posées par l'éthique, la sécurité de l'escalade, l'entretien et l'équipement des sites grimpables, ceci en étroite collaboration avec la Fédération Française de la Montagne. Cela a eu pour conséquence d'élargir considérablement le champ d'action du CO.SI.ROC.

(1) CO.SI.ROC., 7, rue La Boétie, 75008 PARIS.

A.A.F.F. — Association des Amis de la Forêt de Fontainebleau

A.S.C.E.A. — Association Sportive du Commissariat à l'Énergie Atomique

BU.PA.LO. — Buthiers Plein Air Loisirs

C.A.F. — Club Alpin Français

C.E.M.E.A. — Centres d'Entraînement aux Méthodes d'Éducation Active

C.I.H.M. — Chalets Internationaux de Haute Montagne

F.F.M. — Fédération Française de la Montagne

F.F.R.P. — Fédération Française de la Randonnée Pédestre

F.S.G.T. — Fédération Sportive et Gymnique du Travail.

G.E.R.S.A.R. — Groupe d'Études, de Recherches et de Sauvegarde de l'Art Rupestre

G.M.M. — Groupe Melunais de Montagne

G.U.M.S. — Groupe Universitaire de Montagne et de Ski

G.M.T.C.F. — Groupe Montagne du Touring Club de France

L'ESCALADE
A FONTAINEBLEAU

◀ *« L'ancienne » Prestat. Bas-Cuvier.*

SON HISTOIRE

De nombreuses générations de varappeurs ont transmis de bouche à oreille l'histoire de l'escalade à Fontainebleau sans laisser beaucoup de témoignages écrits. On fait remonter à la période paléolithique la varappe dans ces lieux, et ce n'est pas absurde. Ne faut-il pas en effet des talents de grimpeur pour visiter les vestiges de cette époque ?

La forme de l'escalade à Fontainebleau est liée à l'histoire de l'alpinisme. En 1874, c'est la naissance du Club Alpin et, à cette occasion, les délégations étrangères sont conviées à venir découvrir les charmes de la forêt de Fontainebleau. Adolphe Joanne leur fait visiter les sites remarquables des gorges de Franchard, d'Apremont, les hauteurs de la Solle, le Bas-Bréau, etc. Certains visiteurs furent déçus par la hauteur des rochers, mais cela ne les empêcha pas d'admirer la singularité de ces blocs, la majesté des grands arbres, les futaies sauvages ainsi que les ombres et le silence de ces lieux. Un banquet clôtura cette rencontre en présence du président de l'Alpine Club (Grande-Bretagne), du Club Alpin Suisse et du Club Alpin Italien.

Dans son traité sur l'alpinisme paru en 1913, Georges Casella présente ainsi l'escalade à Fontainebleau : « L'escalade de rochers est la partie la plus facile d'une ascension... Elle est, pour les jeunes gens, un jeu, un exercice agréable où l'on peut dépenser autant d'adresse que de force, un plaisir varié, rapide, une manière de prouesse où il faut de la maestria, du brio, de l'aisance et de la grâce. Le promeneur rencontre des blocs : ceux des chaos de Fontainebleau,... les faces des rochers de Fontainebleau (raides, fissurées, en gradins, surplombantes ou torturées) ne présentent-elles pas un raccourci, une réduction des difficultés de l'escalade ? Quand on en aura étudié, mesuré, apprécié, différencié, surmonté les différents passages, on pourra se risquer à l'attaque de quelques belvédères plus nobles. » Quelle prémonition !

Le groupe des rochassiers, composé notamment de Casella, Prestat, Wehrlin et bien d'autres, attira une fougueuse jeunesse dont les noms de Maurice Damesme, Jean Maunoury et les frères de Lépiney sonnent encore à nos oreilles. Ce groupe, actif et turbulent, fut à l'origine de l'alpinisme sans guide et se constitua, au sein du C.A.F., en libre association appelée Groupe de Haute Montagne : le G.H.M. était né.

En 1924, le Groupe de Bleau (G.D.B.), est constitué à son tour à l'initiative de Bobi Arsandaux, Robert et Pierre Mock. Pour faire partie de ce groupe, une des nombreuses conditions était d'avoir dix bivouacs à son actif en forêt de Fontainebleau. Le manque d'assiduité était par ailleurs sanctionné par un renvoi pur et simple.

Certains membres de ce groupe ont façonné l'histoire de l'alpinisme contemporain. Pierre Allain, Bobi Arsandaux, Jacques Boell, Jean Deudon, Raymond Gaché, Guy Labour, Jean, Raymond et Nicole Leininger, Hugues Paillon. Henri Brenot inventa le jumar, Pierre Allain le chausson d'escalade, Marcel Ichac consacra le film de montagne Pierre Madeuf découvrit l'entraînement gymnique grâce à la première structure artificielle d'escalade et Pierre Chevalier, à qui nous devons la première corde en nylon, fut le créateur de la spéléologie alpine.

Des groupes pleins d'humour, aux noms fantaisistes, « Les épidermes endurcis », « Les cénobites tranquilles », « Les phalanges alpines de Fontainebleau » de Daniel Souverain, se rencontrent au milieu des rochers.

Le Cuvier a son académie, le C.A.C. (Cuvier Academic Club), dont le chef de file est Pierre Allain. Les massifs à la mode sont le Cuvier, Malesherbes, Larchant, Chamarande, le Vaudoué (rochers qui sont, de nos jours, propriété privée). Les Bleausards découvrent d'autres hauts lieux d'escalade comme Étretat, le Saussois, Mortain et Chamonix. Mais Frison-Roche écrit, à propos de l'entraînement à Fontainebleau : « Personne ne voudra, je pense, contester la grande utilité pour les rochassiers d'avoir, à portée, un lieu où il leur soit possible de grimper toute l'année. Cela est si vrai que les rochers de Fontainebleau constituent la véritable école d'escalade des Parisiens. Et nous savons tous quelle belle génération de grimpeurs s'est formée au contact des grès lisses et difficiles de la grande forêt ».

L'expédition au Karakoram de 1936, dirigée par Henry de Ségogne, est composée de plusieurs Bleausards, dont Pierre Allain, Jean Deudon et Jean Leininger.

La guerre survient. Malgré le couvre-feu, une poignée d'irréductibles continue de fréquenter les rochers, bravant les représailles et le S.T.O. Charles Authenac sculpte de nombreuses voies au Cuvier, dont la Nationale, la fissure Authenac... A prohiber aujourd'hui !

Après la guerre, la varappe devient très populaire. Le ton de cette époque se reflète dans les pages du journal de bord, persifleur et déchaîné. *Le Bleausard*, dont la cordée de rédaction est magistralement composée de Fred Bernick, René Ferlet, J.-A. Martin, Maurice et Roland Truffaut sous l'égide de Tony Vincent. Quelques rubriques savoureuses y fleurissent : « A travers le hu... Bleau », « Informations de Bleau et d'ailleurs », « Ici Bleau... Les Bleausards parlent aux Bleausards », « Chronique du bivouac à Bleau et à Bloc », et des dessins croqués par Thomas.

Sous l'impulsion de Maurice Martin, de nombreux topos-guides de massifs, aujourd'hui épuisés, voient le jour : Bas-Cuvier, Rempart-Merveille, Dame Jouanne, Maunoury, Puiselet, Malesherbes... C'est la naissance du premier circuit, le 15 juin 1947, sous la signature de Fred Bernick.

Des bivouacs sont aménagés et les premiers conflits font couler beaucoup d'encre entre les rédacteurs du journal *Le Bleausard* et *Le Républicain* sous la plume d'André Billy. Ce sont des rencontres mais aussi des défis entre les « forçats » du Cuvier (les rochers les plus durs) et les amis de la Dame Jouanne (les rochers les plus hauts). D'autres noms font surface : Guy Poulet, Jacques Poincenot, Robert Dagory, Guido Magnone : de nouveaux talents se retrouvent pour grimper en fin de semaine. Les scouts de montagne sont dignement représentés par Paul Jouy. Il ouvre, au Cuvier, la fameuse Stalingrad et le Carré d'As (suivi par G. Neff, A. Bruhat et R. Salson). Le camion du C.O.B. (Club Olympique de Billancourt) est resté célèbre. En particulier, O. Ulrich, les frères Lesueur et P. Canone y prennent place avec les copains aux surnoms évocateurs : les Petits Pieux, Choucate et Micro. Fontainebleau est le point de rencontre de nombreuses et fameuses cordées, des bouillonnants Paragot et Bérardini, des Desmaison et Couzy, qui mûrissent leurs projets à venir. C'est la classe himalayenne cette fois qui se « croise » sur la place du Cuvier.

La pratique de l'escalade se développe, s'ouvre à de nouvelles organisations : le Groupe Universitaire de Montagne et de Ski (G.U.M.S.), la Fédération Sportive et Gymnique du Travail (F.S.G.T.), les Chalets Internationaux de Haute Montagne (C.I.H.M.). Ils se retrouvent au sein de la Fédération Française de la Montagne (F.F.M.) et au CO.SI.ROC. Les formes prises par la varappe évoluent. Les passages deviennent acrobatiques, gymniques, athlétiques, dynamiques, morphologiques. C'est la réalisation des circuits de haute difficulté : de Franchard (Patrick Cordier), des Gros-Sablons (Jacques Olivet), d'Apremont (Lucien Guilloux et Jo Montchaussé), de Malesherbes (Alain Michaud), du Puiselet (Edy Boucher, Bruno Karaboghossian, Olivier Letarouilly). Écrit par plusieurs générations de grimpeurs en particulier par Michel Dufranc et Michel Libert, le circuit Blanc du Bas-Cuvier reste le répertoire du savoir bleausard.

Pour conclure...

Les Bleausards ont marqué l'histoire de l'alpinisme. Le rayonnement de cette école d'escalade a eu rapidement une réputation internationale. Le cadre restreint des débuts de l'escalade à Fontainebleau a éclaté pour devenir aujourd'hui une académie du toucher, du geste et du regard à part entière.

LA VARAPPE A BLEAU

La varappe, à Bleau, est une activité de plein air et de pleine nature ; elle est ouverte vers l'espace forestier qui demande respect et silence ; elle n'est pas réglementée, c'est une tradition de fraternité, de solidarité et parfois une profonde amitié entre les participants aux jeux : les Bleausards.

Regardez, quelle que soit la saison, des personnages fort sérieux se livrer au pied des rochers à des rites compliqués :
— s'essuyer minutieusement les chaussures à semelles lisses sur un petit tapis ;
— épousseter précieusement des prises minuscules (des grattons) avec un chiffon ;
— tamponner les doigts et les semelles avec un petit sac de résine pilée ou colophane (le « popof » ou « pof », ce miraculeux allié du grimpeur qui améliore l'adhérence sur le rocher) ;
— gravir enfin le rocher après de subtiles contorsions, des gestes étranges, des mouvements complexes, par son côté le plus escarpé.

LES ZONES D'ESCALADE

Les zones d'escalade sont identifiées sur la carte I.G.N. O.N.F. n° 401 par un double triangle rouge. Elles comportent en général plusieurs circuits aux difficultés variées afin de satisfaire les grimpeurs de tous niveaux.

LES COTATIONS

L'échelle numérique de Welzenbach est utilisée pour évaluer la difficulté du passage.

Les symboles — (ou a) et + (ou c) placés après les cotations permettent d'affiner l'estimation de la difficulté du passage.

Remarque : les cotations s'appliquent à un rocher sec. Par temps humide, les cotations proposées perdent leur signification. Toute tentative de les assimiler à l'escalade en falaise ou en montagne est vouée à l'erreur.

L'ÉQUIPEMENT

L'équipement du grimpeur à Fontainebleau se réduit principalement à :
— une paire de chaussons d'escalade ou, au début, des baskets ou des tennis à *semelles lisses* ;
— un petit tapis ou une chute de moquette à fond imperméable ;
— un chiffon pour s'essuyer les mains et les semelles, qui formera éventuellement un petit sac contenant la colophane pilée : le célèbre « pof » qui permet d'augmenter l'adhérence ;
— une tenue légère, souple, solide et peu ample.

Dans certains cas une corde d'**escalade** d'une vingtaine de mètres, quelques sangles et des mousquetons seront très utiles pour l'assurage (qui demande un apprentissage simple mais obligatoire).

Il faut proscrire impérativement toutes les alliances et les bagues responsables de nombreux accidents (lors d'un coincement le métal est plus résistant que les doigts...).

AVANT ET PENDANT L'ESCALADE

L'escalade, comme toute activité physique sportive, nécessite un échauffement préalable (assouplissements, footing...) en particulier pour les doigts très sollicités à Bleau. Une balle de tennis ou une boule de pâte à modeler sont très efficace pour cet usage. Le grimpeur devra se méfier de la dureté des mâchoires des poignées à ressorts qui est responsable de nombreuses tendinites, par écrasement de la face interne des doigts.

Rappelons un autre point important et malheureusement souvent oublié à Bleau : en cas de difficulté insurmontable il faut toujours s'efforcer de redescendre en déescalade et non sauter ou chuter. En effet dans ces deux derniers cas les disques intervertébraux (principalement ceux de la colonne lombaire-sacrée) sont soumis à des efforts considérables : ils accumulent les microtraumatismes dont l'existence ne se révèlera que beaucoup plus tard, souvent de façon aiguë et handicapante (sciatiques, lumbagos...), et parfois nécessitera une intervention chirurgicale d'urgence (début de paralysie des membres inférieurs).

En cas d'accident aux doigts, consulter *le plus vite possible* un service spécialisé (*cf.* page 233).

A Fontainebleau, les chutes sont parfois mauvaises et très dangereuses. La corde est donc recommandée à certains endroits.

GRÈS, POF ET MAGNÉSIE

Les Bleausards sont des amoureux de la nature ; nous nous permettons cependant devant la dégradation de certains passages de recommander aux grimpeurs :

— de bannir les chaussures de montagne dont l'agressivité des semelles est incompatible avec la fragilité du grès,

— de respecter le cérémonial si étrange de l'essuyage des chaussons d'escalade afin d'éviter le polissage des prises de pied (l'usage du tapis facilitera les progrès du débutant),

— d'éviter les excès de pof, inutiles et disgracieux,

— de préférer, de toute façon le pof à la magnésie car elle encrasse le grain du rocher, cimente les prises, absorbe l'humidité, diminue l'adhérence des chaussons et enlaidit les sites.

LES CIRCUITS « ENFANTS »

Des circuits d'escalade balisés en blanc, conçus en partie par un personnel qualifié (professeur E.P.S., éducateurs) et *par des enfants,* ont été tracés aux quatre coins du massif. Ils sont destinés à faciliter la découverte de l'escalade, dans des conditions de sécurité équivalentes à celles des autres sports — s'ils sont bien tracés —, par des groupes d'enfants de tous horizons (centres aérés, classes primaires...) avec un encadrement qui peut être en partie constitué de non-spécialistes. Bien entendu, en collectivité, un minimum d'accompagnateurs sous l'autorité d'un moniteur diplômé est absolument nécessaire (1 adulte pour 5 à 6 enfants) ; il leur est recommandé de se renseigner *avant* la découverte du circuit sur ses caractéristiques (adaptation à une tranche d'âge, type d'escalade...), les particularités du massif (dangers saisonniers : risques d'égarement, vipères, frelons ; temps de séchage après une pluie...), les consignes à respecter (circuit fléché sur un terrain privé...). Une partie de ces renseignements ainsi qu'une présentation plus complète de cette activité seront trouvées dans le recueil de fiches : *L'Enfant et l'escalade.* Topoguide de la région de Fontainebleau (F.S.G.T.).

La pratique de ces parcours est bien entendu aussi possible par des « individuels » ; une *surveillance sera nécessaire* au moins lors des premiers contacts.

EN GUISE DE CONCLUSION

La pratique sur les circuits d'escalade ne représente qu'une partie seulement de l'activité (ou des jeux) des grimpeurs, car certains lui reprochent d'atrophier l'esprit d'initiative, la créativité. Aussi, certains grimpeurs pratiquent l'escalade hors circuit.

Les jeux les plus fantaisistes font partie du répertoire bleausard : grimper une main dans le dos, sans les mains, effectuer des traversées ou faire le tour d'un bloc jusqu'à l'épuisement, escalader au clair de lune ou réaliser l'arête de Larchant à la D.J. avec un bougeoir dans la bouche, varapper pieds nus, etc. ; bien entendu, la liste n'est pas limitative, les Bleausards ayant de tout temps fait preuve de beaucoup d'imagination.

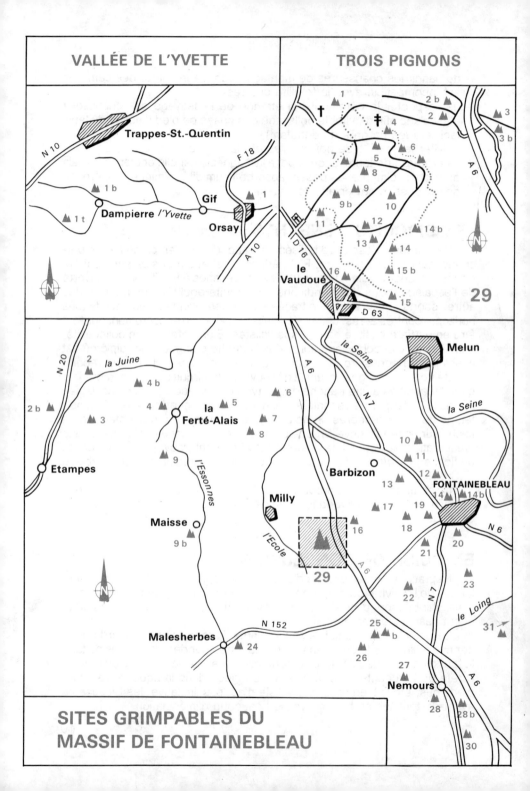

VALLÉE DE L'YVETTE

TROIS PIGNONS

**SITES GRIMPABLES DU
MASSIF DE FONTAINEBLEAU**

> *La prise de risque en escalade est un des éléments de cette activité ; elle sera, à tout moment, présente à l'esprit des grimpeurs.*

LES CIRCUITS D'ESCALADE

La couleur de certains circuits peut avoir été modifiée ; on les identifiera par leur numéro dans le massif qui se trouve sur la plaque de départ (cf. page 22).

L'escalade à Fontainebleau s'enrichit régulièrement ; le tracé et la numérotation des circuits sont donc susceptibles de certains changements.

En cas de modification, nous conseillons à nos lecteurs de se reporter au schéma qui sert de référence à la numérotation publiée ; en attendant une nouvelle édition...

Sur le terrain les sentiers de grande randonnée (G.R.) sont balisés en rouge et blanc, et le Tour du Massif de Fontainebleau (T.M.F.) en vert et blanc.

Les lieux de stationnement sont indiqués sous toute réserve.

1	La Troche	18	Gorges du Houx
1b	Dampierre/Maincourt	19	Mont Aigu
1t	Vaux de Cernay	20	Rocher d'Avon
2	Chamarande	21	Rocher des Demoiselles
2b	Etrechy	22	Recloses
3	Villeneuve-sur-Auvers	23	Restant du Long Rocher
4	Le Sanglier	24	Malesherbes
4b	Rocher Mignot	25	Dame Jouanne
5	Mondeville	25b	Maunoury
6	Beauvais	26	Éléphant
7	La Padôle	27	Puiselet
8	Videlles/Les Roches	28	Chaintreauville
9	Le Pendu	28b	Rochers de Nemours
9b	Maisse/Le Patouillat	30	Glandelles
10	Rocher Canon	31	Rocher du Sault
11	Cuvier		
12	Rocher Saint-Germain		
13	Apremont		
14	Mont Ussy		
14b	Calvaire		
16	Rocher de Milly		
17	Franchard		

29	*Trois Pignons*
1	Châteauveau
2	Canche aux Merciers
2b	Télégraphe
3	Rocher de la Reine
3b	93,7/Bois Rond
4	Pignon Poteau
5	95,2
6	Gros Sablons
7	Jean des Vignes
8	Rochers des Potets
9	Cul de Chien
9b	91,1
10	Rocher Fin
11	Roche aux Sabots
12	Rocher du Général
13	Diplodocus
14	Rocher du Potala
14b	Grande Montagne
15	J.A. Martin
15b	96,2
16	Rocher Guichot

LE BALISAGE
LES SIGNES CONVENTIONNELS
ET LEURS COULEURS

Les circuits ont toujours été classés par difficulté mais, contrairement à la normalisation actuelle, les couleurs qu'on leur affectait pouvaient varier d'un massif à l'autre. Il en reste encore quelques exemples.

Couleur du circuit	Difficulté du circuit	Abréviation	Cotation moyenne
Blanc	*Pour les enfants*	*E*	
Jaune	Facile	*F*	I
	Peu difficile	PD	*II*
Orange	Aseez difficile	*AD*	III
Bleu	Difficile	*D*	IV
Rouge	Très difficile	*TD*	V
Noir	Extrêmement difficile	*ED*	VI

Le circuit est identifié au départ par une plaque blanche sur laquelle ont été portées deux indications.

les lettres représentent la difficulté moyenne du circuit

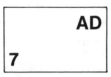

le chiffre indique le numéro du circuit dans le massif

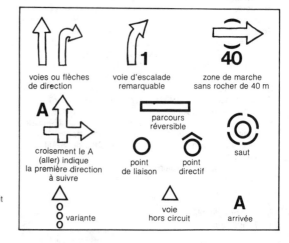

voies ou flèches de direction

voie d'escalade remarquable

zone de marche sans rocher de 40 m

croisement le A (aller) indique la première direction à suivre

parcours réversible

point de liaison

point directif

saut

variante

voie hors circuit

arrivée

LISTE DES CIRCUITS D'ESCALADE

Dans la liste le numéro repère du circuit (cf. *page* 22) est placé après sa couleur.
Dans la liste et dans le texte la première cotation citée indique la dominante du circuit.
Un ● indique que le schéma du circuit est publié dans l'ouvrage.

CIRCUITS ENFANTS *(E)*

CIRCUITS FACILES *(F)*

CIRCUITS PEU DIFFICILES *(PD)*
PD—

J.A. Martin	Jaune	1	193
Mondeville	Jaune	3	38
Mont Aigu	Jaune	2	117
• Mont Ussy	Jaune	2	99
• Pignon Poteau	Jaune	1	175
Rocher Canon	Jaune/Orange	3	58
Sanglier *(F+)*	Jaune	1	36
Vaux de Cernay	Bleu	1	30
Villeneuve-sur-Auvers	Jaune	2	41

PD

Apremont/Envers	Jaune	3	77
Beauvais	Jaune	3	45
Chaintreauville *(AD)*	Blanc	1	155
Dame Jouanne	Jaune	2	139
• Diplodocus	Jaune	1	201
Diplodocus	Vert	5	192
Franchard Isatis	Jaune	4	106
La Padôle	Jaune	3	53
Le Pendu	Jaune	2	55
Rocher Canon	Jaune	2	59
Rocher Fin	Jaune	3	171
Rocher du Général (71,1)	Jaune	2	192
Rocher des Potets	Jaune	1	169

PD+

• Apremont/Désert	Jaune	1	95
Apremont/Désert	Jaune	2	78
• Apremont/Gorges	Jaune	9	81
• Chateauveau	Jaune	1	173
• Cul de Chien	Jaune	3	185
• Franchard Hautes-Plaines	Jaune	3	115
Mont Ussy *(PD)*	Jaune	1	99
• Rocher de la Reine	Jaune	1	163
Roche aux Sabots	Jaune	2	191
• Rocher Saint-Germain	Jaune	1	73
95,2	Jaune	4	167
96,2	Vert	1	206

CIRCUITS ASSEZ DIFFICILES *(AD)*
AD—

Apremont/Désert *(PD+)*	Orange	4	79

Apremont/Gorges *(AD)*	Vert clair	2	76
Beauvais	Orange	5	45
Buthiers/Massif de l'I	Orange	1	134
● Chamarande *(AD)*	Orange	2	35
● Bas Cuvier	Orange	3	65
Cuvier Rempart	Rouge	1	63
J.A Martin *(AD)*	Vert	3	193
Maunoury *(PD+)*	Vert	1	140
Mondeville	Vert	2	40
Recloses	Orange	1	126
● Rocher d'Avon	Orange	3	125
● Rocher des Demoiselles	Orange	1	123
● Rocher Guichot	Jaune	2	205
● Restant du Long Rocher *(AD)*	Orange	1	129
Videlles/Les Roches	Orange	1	47
91,1	Orange	4	170

AD

Apremont/Désert	Orange	3	78
● Apremont/Envers	Orange	4	91
Apremont/Gorges	Orange	3	76
● Beauvais	Orange	6	47
Buthiers/Massif Canard	Orange	3	134
Calvaire *(AD+)*	Orange	1	96
Canche aux Merciers	Orange	2	158
Chamarande	Vert	4	35
Éléphant *(AD—)*	Orange	1	140
Franchard Cuisinière	Orange	1	106
Gros Sablons *(AD—)*	Orange	2	166
J.A. Martin	Vert	2	193
● Mont Aigu *(AD—)*	Orange	1	119
La Padôle *(AD+)*	Orange	4	53
● Puiselet	Orange	1	151
Restant du Long Rocher	Vert	2	127
Rochers des Potets	Orange	2	169
Sanglier	Orange	2	36
93,7 (Bois Rond)	Orange	3	158
95,2 *(AD+)*	Orange	5	168

AD+

Apremont/Désert	Orange	5	79
● Apremont/Gorges	Orange	1	83
● Dame Jouanne	Mauve	1	141

Dampierre/Maincourt	Orange	1	29
Diplodocus *(AD)*	Orange	2	192
Grande Montagne *(D—)*	Orange	1	193
• Gros Sablons	Orange	1	181
J.A. Martin	Vert	4	195
La Padôle	Orange	2	53
Rocher Canon	Vert	1	59
• Rocher Mignot	Orange	1	39
Rochers de Nemours	Vert	1	155
• Rocher du Potala *(AD)*	Orange	2	203
Rocher Saint-Germain	Orange	2	73
• Villeneuve-sur-Auvers *(D—)*	Vert	1	43
• 91,1 *(AD)*	Orange	2	187

CIRCUITS DIFFICILES *(D)*
D—

• Apremont Bizons	Bleu	2	93
Beauvais	Bleu	1	45
Canche aux Merciers (télégraphe) *(D)* .	Bleu	4	161
Cul de Chien	Bleu	1	170
Bas Cuvier	Bleu	1	63
• Cuvier Rempart *(AD+)*	Jaune	2	69
Dame Jouanne	Bleu	4	139
• Franchard Isatis	Bleu	2	112
Jean des Vignes	Rouge	1	168
• J.A. Martin *(D)*	Bleu clair	5	195
• Maunoury	Bleu	2	145
Le Pendu *(AD+)*	Bleu	4	57
La Troche *(D)*	Bleu	1	31
• Videlles/Les Roches	Bleu	2	51

D

Apremont/Gorges	Bleu	5	76
Apremont/Gorges	Bleu	13	77
Buthiers/Massif Canard *(D+)*	Bleu	1	134
• Diplodocus	Bleu	3	201
Éléphant	Bleu	3	140
Franchard Sablons	Rouge	4	105
Puiselet *(D+)*	Noir	2	149
Rocher Canon	Bleu	5	59
Rocher Fin	Bleu	1	171
Rocher du Potala	Bleu	1	192
• Roche aux Sabots	Bleu	1	197
• 95,2	Bleu	1	177

D+

Apremont Bizons	Bleu	1	78
Apremont/Gorges	Rouge	4	77
• Buthiers/Massif de l'I.	Bleu	2	137
• Canche aux Merciers	Bleu	1	161
• Franchard/crête sud	Rouge	2	109
Gros Sablons	Bleu	4	168
J.A. Martin	Bleu	6	195
Mondeville	Rouge	1	40
Mont Aigu (TD—)	Bleu	3	119
• Le Pendu	Bleu	1	57
• Rocher du Général (71,1)	Bleu	1	199
• Rocher de Milly	Bleu	1	103
Rocher de la Reine	Bleu	2	158
• 93,7 (Bois Rond)	Bleu	4	165

CIRCUITS TRÈS DIFFICILE (TD)

TD—

Apremont/Envers	Rouge	1	78
• Apremont/Gorges (TD)	Orange/Saumon	6	85
Chamarande (TD)	Rouge	1	35
Bas Cuvier	Bleu	7	65
Dame Jouanne	Rouge	3	140
Franchard Cuisinière (D+)	Rouge	4	106
• Rocher Canon (D+)	Bleu clair	4	61
Sanglier (D+)	Rouge	3	36
91,1 (TD)	Rouge	1	170
95,2 (D+)	Rouge	2	168

TD

Beauvais	Rouge	2	47
Beauvais	Rouge	4	47
Beauvais	Rouge	7	47
Cul de Chien (TD+)	Rouge	4	170
Bas-Cuvier	Bleu	4	63
• Éléphant	Vert	2	147
Éléphant	Rouge	7	140
Franchard/crête sud	Noir/Blanc	6	106
Franchard Isatis (TD—)	Rouge	1	106
Franchard Sablons	Orange	1	105
• La Padôle (Rouge)	Bleu	1	53
• Restant du Long Rocher	Rouge	3	131
La Troche (TD+)	Rouge	2	31

TD+

Apremont/Gorges	Rouge/Blanc	10	77
• Bas-Cuvier	Rouge	6	67
Buthiers/Massif de l'I *(TD)*	Rose	4	134
J.A. Martin	Rouge	7	195
Maunoury....................	Rouge	4	140
Rocher Guichot	Rouge	1	205
Rocher du Potala	Rouge	3	192
Roche aux Sabots	Rouge	3	191
• Rocher Fin	Rouge	4	189

CIRCUITS EXTRÊMEMENT DIFFICILES *(ED)*

ED—

• Apremont/Gorges	Bleu clair	11	87
• Apremont/Gorges	Rouge	12	89
Bas-Cuvier	Noir	2	65
Cuvier-Rempart................	Noir	3	63
Éléphant	Noir/Blanc	5	141
• Franchard Cuisinière	Blanc	5	111
Franchard Isatis *(ED/TD+)*	Blanc	3	106
• Gros Sablons	Noir/Blanc	3	183
Rocher Canon	Rouge	6	59
• 95,2 *(TD+)*	Blanc	3	183

ED

Buthiers/Massif Canard	Noir	4	134
Buthiers/Massif de l'I	Noir	3	137
Puiselet	Noir/Blanc	3	149

ED+

Apremont/Gorges	Blanc	7	77
• Bas-Cuvier	Blanc	5	67

Certains schémas ont été publiés dans les revues d'association, en particulier dans Paris-Chamonix (section de Paris du C.A.F.) dans le Bulletin du Red-Star/Club de Montreuil (R.S.C.M.) et dans le Crampon (G.U.M.S.).

MASSIFS NORD-OUEST
DE FONTAINEBLEAU

DAMPIERRE/MAINCOURT

Ce massif, connu depuis fort longtemps, est de nouveau accessible aux grimpeurs. Le site est très boisé et peu venté ce qui y interdit l'escalade par temps humide ; aux beaux jours le calme y est garanti.

ACCÈS AU MASSIF

En voiture : soit par l'autoroute A 10, soit par la voie rapide F 18, rejoindre Orsay puis Gif-sur-Yvette. Prendre la N 306 jusqu'à Chevreuse puis la D 58 jusqu'à Dampierre où l'on tourne à droite, direction Port-Royal/Versailles. Stationner à gauche (ouest) à la sortie de Dampierre juste au pied de la cote des Dix-Sept Tournants. Suivre le GR 11 vers l'ouest, 80 mètres après un crochet très marqué sur la gauche (sud, descente boueuse) le quitter et monter une cinquantaine de mètres pour trouver le départ.

A pied : de la gare R.E.R. de Saint-Rémy-lès-Chevreuse rejoindre le GR 11 par un diverticule (7 km). On peut aussi le prendre à la halte de Coignières (6 km). (Ligne SNCF Rambouillet).

LE CIRCUIT

• **Orange** *AD* **+ n° 1** : 60 numéros + 35 *bis :* auteurs : Marcel Brot, Alain Decarreau, Daniel, François et Jean-Marie Taupin. Il réunit la plupart des blocs intéressants du massif ; il est peu soutenu et assez inégal mais technique et varié. Il se termine sur la célèbre dalle Noire de Maincourt (corde recommandée).

Étant le seul circuit de difficulté moyenne de cette région, il a un grand succès, ce qui garantit un bon entretien des passages (mousses, lichens...) et de l'excellente sente qui relie les blocs parfois très espacés (1ʳᵉ partie).

LES VAUX DE CERNAY

Non loin de Maincourt, les Vaux de Cernay présentent de nombreux petits chaos rocheux, de faible hauteur, disséminés sur le flanc nord de la vallée.

LE CIRCUIT
● **Bleu** *PD* − n° 1 **:** 9 numéros + des *bis*. Ce circuit court mais varié, peu exposé et assez inégal est d'intérêt local.

ACCÈS AU MASSIF
Rejoindre Cernay-la-ville situé sur la N 306 avant Rambouillet. Prendre la D 24 direction Auffargis sur 2,5 km.

Aire de stationnement O.N.F. à droite juste avant le mur du domaine de l'Abbaye. Traverser le ru des Vaux puis suivre un bon sentier en oblique à gauche : départ au bas de la pente (200 m).

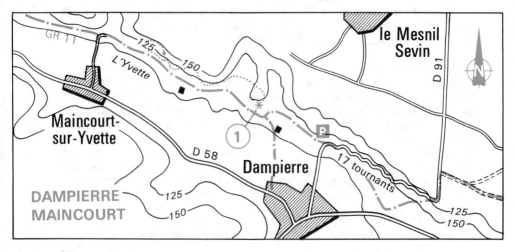

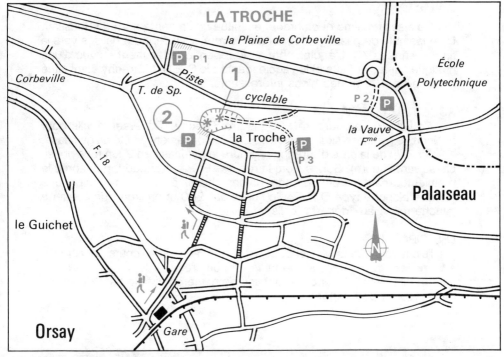

LA TROCHE

Ce massif est constitué d'une petite falaise de grès d'une centaine de mètres de long sur 5 à 6 m de haut, front d'une ancienne carrière qui ne sèche que très lentement après la pluie.

ACCÈS AU MASSIF

En voiture : de la voie rapide F 18, prendre la sortie Cité Universitaire, puis la direction de Corbeville (École Polytechnique). 1,2 km plus loin, se garer à l'entrée d'une route privée P 1. L'emprunter sur 70 m pour rejoindre une piste cyclable à suivre à gauche (est) sur 150 m. On domine alors la carrière de La Troche, qui se trouve sur la droite.

En métro : R.E.R. ligne B direction Saint-Rémy-lès-Chevreuse. Descendre à la station Le Guichet, puis *cf.* carte.

LES CIRCUITS

● Bleu *D – / D* n° 1 : 20 numéros + 4 *bis.* Créé par Ghislaine et François Beaux et Oleg Sokolsky il est varié, athlétique, technique et exposé. Il est conçu pour éviter le plus possible de poser le pied dans le sable.
● Rouge *TD / TD* + n° 2 : 20 numéros. Auteur J.-M. Ponlet. Suite de passages, dont certains de toute beauté, plutôt que circuit ; mêmes caractéristiques que le Bleu n° 1.

31

ÉTRÉCHY

Ce massif, calme et ombragé, est situé sur la pente nord du Roussay. Un ensemble de passages de niveaux divers, y avaient été balisés vers la fin des années 70. L'équipement a été repensé récemment en vue d'une pratique par les enfants et les adolescents : le C.E.S. d'Étréchy étant situé à moins de 400 m des blocs intéressants.

ACCÈS AU MASSIF

En voiture : prendre la N 20 jusqu'à Étréchy. Traverser la ville pour rejoindre le gymnase situé près du C.E.S. Stationnement à côté du gymnase.

A pied : de la gare d'Étréchy rejoindre le gymnase en 2 km (bus possible suivant l'heure). Suivre alors la rue des Frères-Kennedy, peu après le premier tournant à droite, prendre un bon chemin à gauche, fermé par une barrière blanche type O.N.F. ; le suivre sur 200 m environ : un sentier à gauche mène aux départs (balises).

LES CIRCUITS

Ils ont pour auteur Michel Coquard et leur tracé est en cours (janvier 86).
• **Blanc** *enfant* **n° 1 :** une trentaine de numéros.
• **Jaune** *PD* **– n° 2 :** une quarantaine de numéros. Il sera assez long, un peu inégal et peu exposé.

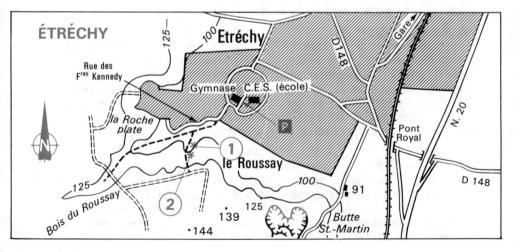

◄ **1**. Dans une des traversées du Bas-Cuvier. **2**. L'art du jeté : "l'aérodynamite" - *Bas-Cuvier*. **3**. Retraite dynamique dans le "carré d'as" - *Bas-Cuvier*. **4**. Sur le rempart du Puiselet.

⑤

6

5. De l'art chamoniard - *Crête nord de Franchard.* **6**. Vers la lumière - *la Padôle.*
7. Toit du biceps mou - *Bas-Cuvier.*

7

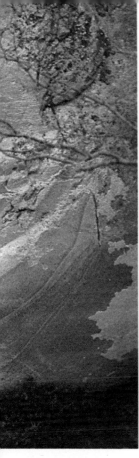

8. Lignes de force :
"La liberté"
aux Gros Sablons.
Trois Pignons.

9. Jeux de pieds :
"13e travail d'Hercule"
Apremont.

Pour quelques mètres
de vertige :
10. au 95,2
11. au J.A. Martin
Trois Pignons.

⑪

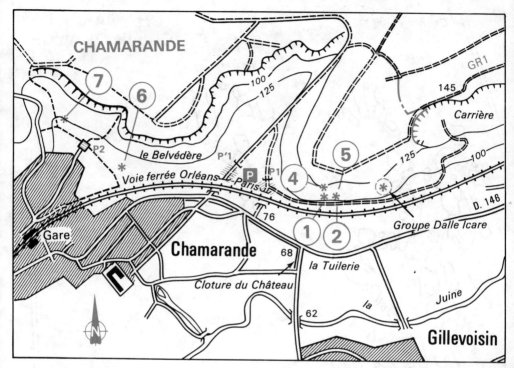

CHAMARANDE

Plusieurs générations de Bleausards ont fréquenté ce massif grâce à la facilité des moyens de transport. De nombreux rochers sont hauts, intéressants et peu lichéneux dans la partie parcourue par les principaux circuits.

ACCÈS AU MASSIF

En voiture : prendre la N 20 jusqu'à Étréchy, puis la direction de Chamarande (2 km).

Pour la zone classique : traverser Chamarande vers Lardy (D 146) et 400 m après la sortie du village, tourner à gauche vers le 2e pont sous la voie ferrée. Se garer immédiatement après P1 (stationnement assez aléatoire).

On stationnera beaucoup plus facilement sur l'aire aménagée P'1 qui s'atteint en passant sous le premier pont. Un sentier qui part sur la droite, de son extrémité nord-est rejoint P1.

Pour la zone du Belvédère : dans Chamarande ne pas passer au-dessus de la voie ; continuer tout droit, on longe le quai nord de la gare ; après le premier tournant à gauche (restaurant) prendre la rue à droite qui mène à un bon stationnement à son extrémité (P2).

La rue « à droite » étant très étroite, ne pas s'y engager en car.

A pied : de la gare de Chamarande on rejoint aisément les itinéraires précédents.

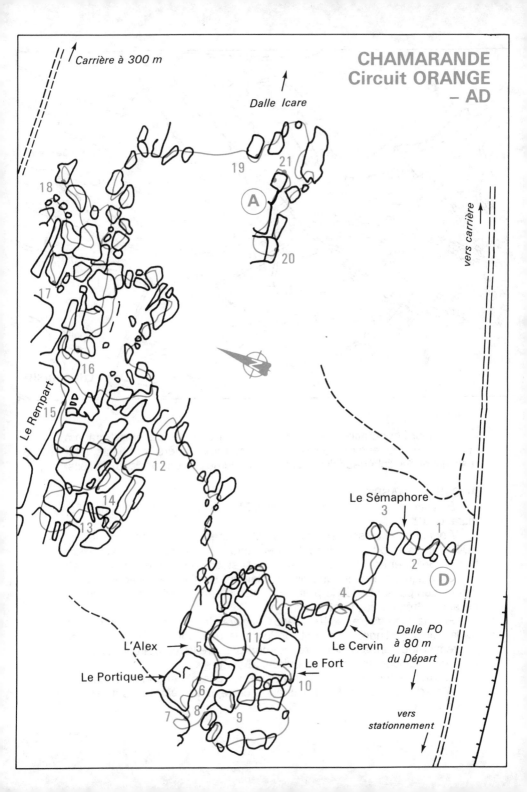

LES CIRCUITS

• **Blanc** *enfant* n° 5 : 50 numéros, auteur ; René Bonnette. Départ sur le premier bloc du circuit Orange n° 2. (*Cf.* page 19).

• **Blanc** *enfant* n° 6 : 42 numéros + des *bis*, auteurs : Michel Coquard et Louis Louvel (*Cf.* page 19).

Départ : de P2 prendre le chemin de droite (sud-est) sur 150 m), un bon sentier à gauche mène au départ au bas de la pente.

• **Jaune** *PD* – n° 7 : 25 numéros : mêmes auteurs que le Blanc n° 6.

Beau circuit d'initiation, technique et varié, il est souvent humide l'hiver.

Départ : de P2 suivre le chemin de gauche (nord-ouest) qui se transforme en sentier (souvent humide). Départ 200 m plus loin à droite, au début de la montée.

• **Vert** *AD* n° 4 : 25 numéros (1985) de style varié du II au V.

Départ : sur le rocher derrière la dalle de départ du circuit Rouge n° 1.

• **Rouge** *TD* – / *TD* n° 1 : 60 numéros + 6 *bis*. Auteur : Rémy Cordurié qui a considérablement augmenté l'ancien circuit créé par le R.S.C.M. Ce remarquable parcours est long, varié, un peu inégal, parfois athlétique et exposé. Quelques passages sur grattons demandent des doigts solides.

Départ : sur la dalle P.Q. qui se trouve en bordure du chemin qui longe la voie ferrée (150 m à l'est du lieu de stationnement).

On peut trouver d'intéressantes escalades (balisées) dans la « Carrière » située à 400 m à l'est de la zone classique.

• **Circuit Orange** *AD* – / *AD* n° 2 :

Blanc puis Jaune jusqu'à la dalle Icare, ce circuit exploitait consciencieusement le chaos de Chamarande. La dernière partie, très peu fréquentée, a été abandonnée lors du rebalisage en Vert puis en Orange.

C'est un circuit homogène qui présente des passages variés et souvent hauts parmi lesquels se distinguent la grande dalle du Cervin, la face sud de l'Alex et le Rempart.

ACCÈS AU CIRCUIT

Départ en bordure du chemin qui longe la voie ferrée à 200 m à l'est du lieu de stationnement P1.

COTATIONS

D	III –		11	IV	L'Alex (face sud)
1	II	La dalle du début	12	II –	La dalle en pente
2	IV	Le sémaphore	13	II +	Le hic
3	II	L'océan	14	III +	L'« A la douce »
4	III	Le Cervin	15	III –	Le rempart
5	III +	L'Alex (face ouest)	16	II	La dalle penchée
6	II +	Le portique	17	III +	La nouvelle
7	III	Le surplomb des Siamois	18	III –	La belle
8	II +	La sentinelle	19	III –	Le grand écart
9	II	La dalle jaune	20	II +	L'Anatole
10	III	Le Fort	21	II +	Les v'la

N.B. Vers l'arrivée on trouvera quelques flèches rouges de l'ancien circuit n° 3.

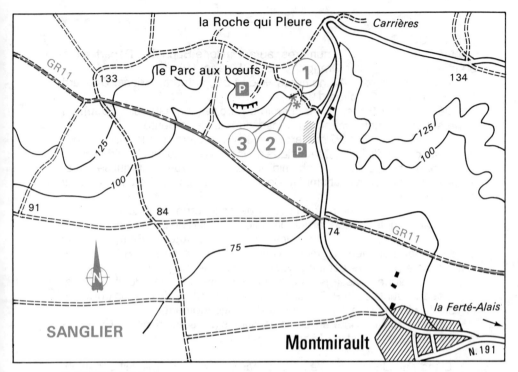

SANGLIER

Chaos important et blocs épars situés sur le flanc sud (lieudit le Parc aux bœufs) du plateau localisé au nord-ouest de la Ferté-Alais. Le massif du Sanglier offre des circuits dont l'escalade est toujours intéressante par sa variété et les techniques qu'elle requiert. Les chutes sont très souvent mauvaises.

Ce massif sèche lentement après la pluie.

ACCÈS AU MASSIF

En voiture : de La Ferté-Alais, emprunter la N 191 en direction d'Étampes. Prendre à droite à l'entrée de Montmirault, traverser le village et suivre une route goudronnée jusqu'au pied du flanc sud du plateau (1 km, bâtiments). Petit parking ; suivre le chemin de terre qui monte sur la gauche pendant 150 m ; de là, 20 m à gauche.

A pied : l'itinéraire le plus simple reste encore le précédent.

LES CIRCUITS

Ces trois circuits ont été créés par l'Union Sportive d'Ivry (F.S.G.T.).
• Jaune *PD − / F +* n° 1 : 40 numéros + 1 *bis*. Varié et inégal.
• Orange *AD* n° 2 : 28 numéros. Très technique, parfois exposé.
• Rouge *TD − / D +* n° 3 : 55 numéros + 2 *bis*. Inégal mais toujours intéressant ; il y a une végétation abondante à partir du numéro 26.

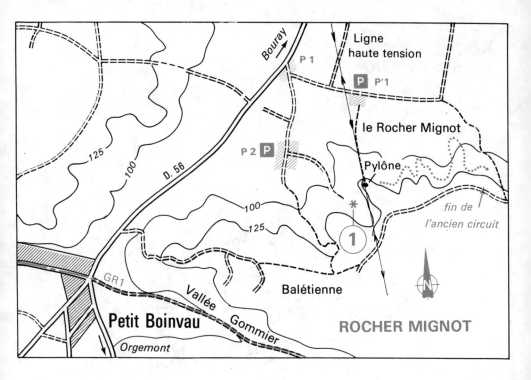

ROCHER MIGNOT

Petit massif d'intérêt secondaire, peu étendu mais très calme, qui mérite une visite au passage. L'escalade y est variée, avec quelques fissures intéressantes sur le rempart au pied d'un pylône E.D.F. évident. On trouve de nombreux blocs très moussus sur le flanc nord du plateau de l'Ardenay, à l'est du Rocher Mignot.

ACCÈS AU MASSIF

En voiture : prendre la N 20 jusqu'à Arpajon, puis la D 449, en direction de La Ferté-Alais jusqu'à la sortie de Bouray-sur-Juine (9 km d'Arpajon). Tourner à droite en direction de Janville (D 99, 1 km) puis prendre à gauche (sud) la D 56 en direction Orgemont. Stationnement difficile à la hauteur d'un chemin de terre, 250 m après avoir croisé la ligne de haute tension.

Un autre stationnement est possible en suivant le chemin de terre jusqu'à un verger (prendre à droite à la première fourche).

A pied : de la gare de Lardy, rejoindre le GR 1, le suivre vers le sud-est jusqu'au Petit-Boinvau. Prendre à gauche (nord-est) la D 56, la suivre sur 1 km jusqu'au niveau du chemin de terre précité.

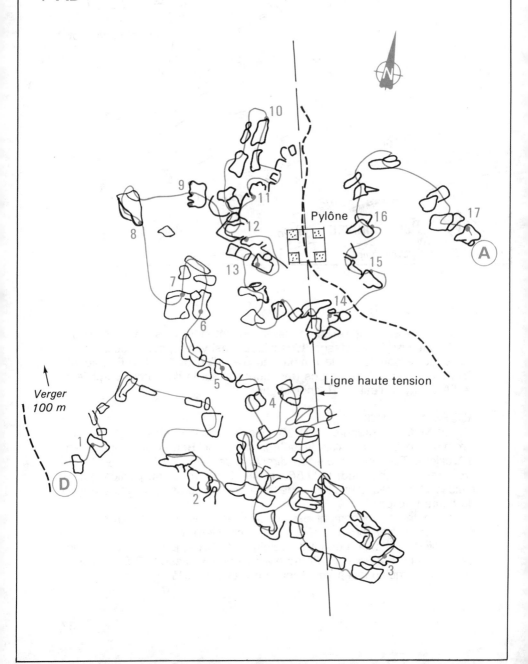

ROCHER MIGNOT
Circuit ORANGE
+ AD

● Circuit Orange *AD+* n° 1

Ce circuit tracé vers 1976 par un inconnu exploitait complètement le Rocher Mignot et le flanc nord du plateau situé à l'est. L'abondance de la végétation a nécessité l'abandon de la deuxième moitié du circuit originel du n° 21 au n° 41 — les nos 29 et 40 n'étant pas tracés — que l'on peut encore trouver moyennant l'emploi d'une machette bien affûtée.

La partie restante se déroule dans le chaos rocheux situé au pied d'un pylône E.D.F. planté sur la bordure nord du plateau. C'est un circuit varié (dalles, fissures, surplombs), technique et assez court qui mériterait une fréquentation plus régulière. Quelques pitons en place peuvent servir à l'assurage à condition de vérifier leur solidité.

ACCÈS AU CIRCUIT

Si le sentier traversant le verger qui amène directement au départ du circuit est barré, suivre le chemin de terre initial jusqu'au plateau dont on longe la bordure vers la gauche (nord-est) jusqu'au pylône. Le départ se trouve au fond du petit vallon situé au sud-ouest du pylône.

COTATIONS

1	III		9t	IV
2	III +		10	IV
3	IV −		11	IV −
4	III +		12	IV
5	IV −		13	IV +
6	I		14	II +
7	I		15	III
8	III		16	III +
9	A1/IV	1 piton	17	III −
9b	IV			

N.B. Coté en libre (sans tire-clou, sauf au n° 9).

Remarque :

Le circuit étant court, une randonnée sympathique par le GR 1 et le GR 11 permet de rejoindre le massif du Sanglier.

MONDEVILLE

Massif ombragé et peu fréquenté. Les blocs se situent sur une série de petits pignons à l'ouest de Mondeville. D'une manière générale, les rochers sont couverts de lichen et l'escalade exposée.

ACCÈS AU MASSIF

En voiture : autoroute A 6 jusqu'à Corbeil Sud ; prendre la direction de Milly-la-Forêt (D 948). Dans Auvernaux prendre la direction de Chevannes (D 74). Dans Chevannes, emprunter à gauche la D 153 jusqu'à Mondeville. Parking sur la place en face de l'église. De là, suivre le GR 11 vers l'ouest sur 750 m jusqu'au niveau d'une propriété fermée caractéristique sur la gauche (naturistes).

A pied : de La Ferté-Alais, suivre le GR 11 jusqu'à Mondeville (9 km), ou par la N 191 et la D 87 puis un chemin de terre (4 km).

LES CIRCUITS

• **Jaune** *PD* — n° 3 : non numéroté. Court et peu soutenu.

Départ : 80 m après la propriété, le GR rejoint un promontoire évident sur lequel se trouve le départ du circuit jaune.

• **Vert** *AD* — n° 2 : non numéroté. Très effacé, il est situé en flanc nord, donc très glissant. Court et technique.

Départ : immédiatement à droite du GR après la propriété.

• **Rouge** *D* + n° 1 : 38 numéros. Tracé par le R.S.C.M., il est long, varié, technique, intéressant et assez athlétique sur la fin. Mérite amplement le détour.

Départ : à gauche en contrebas du GR, après la propriété.

N.B. On peut trouver quelques escalades et de petites randonnées sur l'avancée du plateau de Malvoisine, à 1 km au sud-est de Ballancourt.

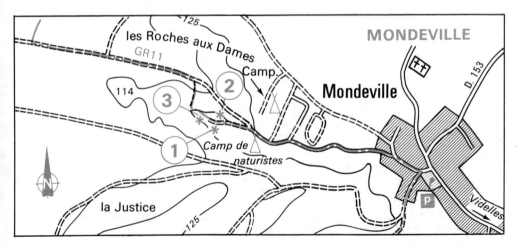

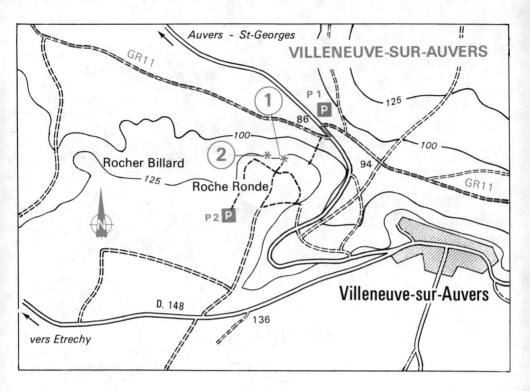

VILLENEUVE-SUR-AUVERS

Le trait dominant de ce massif est d'exploiter le rempart sud d'une carrière, haut et exposé (8 m). C'est un endroit agréable avec une clairière au milieu d'une pinède très propice au pique-nique.

ACCÈS AU MASSIF

En voiture : prendre la N 20 jusqu'à la sortie d'Étréchy et ensuite la D 148 jusqu'à Villeneuve-sur-Auvers (est). A l'entrée de Villeneuve, suivre la route en direction d'Auvers-Saint-Georges (sur 1 km). Stationnement au croisement avec le GR 11 en bas de la côte.

A pied : d'Étréchy, suivre le GR 11 jusqu'au point précité (5 km).

LES CIRCUITS

• **Jaune** *PD* **– n° 2** : 36 numéros. Souvent humide et lichéneux mais d'un intérêt technique certain.

Du lieu de stationnement, rejoindre la carrière par un sentier très raide, vers le sud traverser la carrière vers l'ouest. Au niveau du départ du circuit n° 1, suivre un sentier vers le sud-ouest sur 90 m. Le départ se trouve à 50 m au nord-ouest de ce point.

Quelques repères jaunes en jalonnent l'accès.

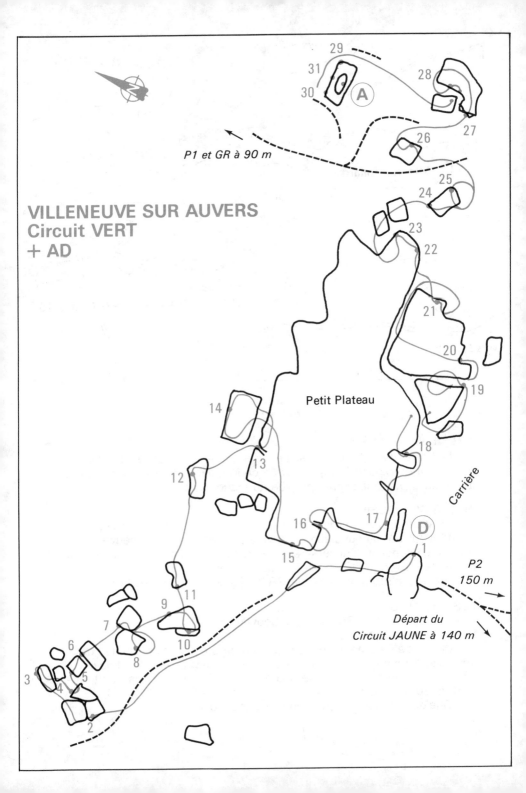

• Bleu *AD + /D* – n° 1 : ce circuit a été tracé par le R.S.C.M. Sa cotation *AD +* est plutôt une moyenne arithmétique des divers passages qui s'échelonnent du II au V +. Athlétique et varié, cet intéressant circuit constitue un excellent entraînement à la montagne. La corde peut être très utile pour l'assurage en particulier pour la voie d'arrivée dans la dalle en Y. La première partie de ce parcours jusqu'au n° 14 sèche très lentement ; la seconde, en face sud, devient vite praticable.

Il sera repeint en Bleu.

Quelques voies d'escalade artificielle sont équipées dans la carrière.

COTATIONS

1	III	La croix de Lorraine	17	III	L'arc brisé
2	II	L'éperon surplombant	18	IV	La fissure des bivouacs
3	II	La traversée	‛19	IV	La grande fissure
4	III	Le mur vertical	20	IV	Le mur terreux
5	III	La traversée déversante	21	III	
6	III		22	III	La traversée pendue par les mains
7	IV	Priorité à droite	23	IV +	Le surplomb de l'arbuste
7b	V +	Le surplomb infranchissable	24	III	L'angle oublié
8	IV	Le dièdre ouvert	25	V +	L'envers de l'angle
9	III	L'arête arrondie	26	V	Le triangle
10	III +	La dalle	27	V	La facette nord du bloc fendu
11	II	Le petit mur	28	V	Le surplomb du bloc fendu
12	IV	La coquille Saint-Jacques	29	III +	L'arête de gauche - Dalle « Y »
13	III	La fissure aux arêtes vives	30	IV	La voie de droite - Dalle « Y »
14	III +	La longue traversée	31	V –	La voie du milieu - Dalle « Y »
15	III –	Le baquet			
16	III	La fissure sans fond			

N.B. En raison de l'exposition générale des passages, prévoir une corde et quelques mousquetons (quelques pitons en place).

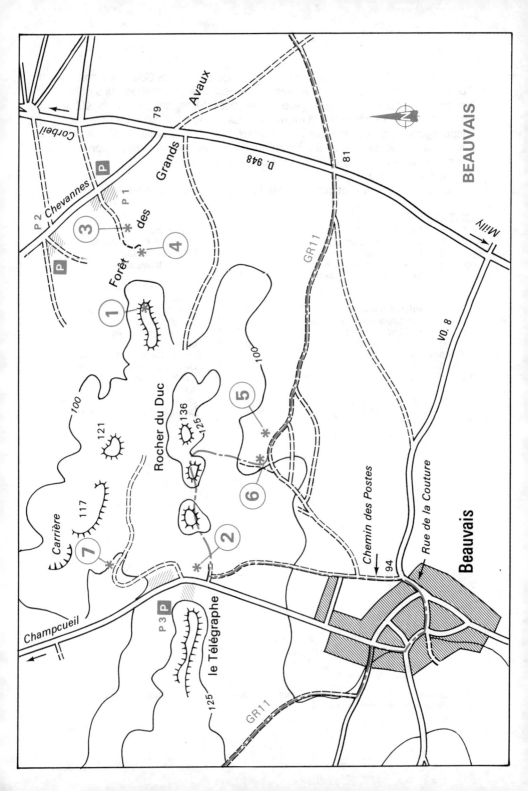

BEAUVAIS

Ce massif (Rocher du Duc sur les cartes I.G.N.), géographiquement assez complexe, présente beaucoup de possibilités d'escalades en général peu exposées. L'ensemble, bien qu'il soit assez dégagé, est relativement étouffant par grosses chaleurs. D'exposition géographique variée, la plupart des circuits ne sèchent que lentement après la pluie.

ACCÈS AU MASSIF

En voiture : il y a deux zones de stationnement au nord-est et à l'ouest du massif. Pour les rejoindre : de l'autoroute A 6 sortir à Corbeil Sud, prendre la D 948 (direction Milly) sur 6,5 km jusqu'à l'embranchement de la D 74a (3 km après Auvernaux).

Pour le nord-est : de l'embranchement, suivre à droite la D 74a (direction Chevannes) et stationner sur les bas-côtés au niveau du premier chemin de terre à gauche (180 m, barrière) P1 pour les circuits n°s 3 et 4, ou au niveau des deuxième et troisième chemins (320 m, barrière) P2 pour le circuit n° 1. Les bas-côtés étant étroits, le stationnement dans ce secteur est assez précaire, nous conseillons celui de l'ouest, tant que les aménagements prévus ne seront pas réalisés.

Pour l'ouest : de l'embranchement, continuer la D 948 sur 800 m, prendre à droite (ouest) le chemin vicinal VO 8 (rue de la Couture) jusqu'à Beauvais. Prendre la route de Champcueil sur 400 m. Stationnement à droite dans le virage après le sommet de la petite côte face au dancing « La Chamière » P3.

A pied : de La Ferté-Alais, le GR 11 (19 km) ou de Ballancourt, par la Ferme Malvoisine et le GR 11 (10 km).

LES CIRCUITS

• **Jaune** *PD* n° 3 : non numéroté. Auteur : M. Martinoia. Il exploite la partie nord-est du massif. Technique et intéressant, beaucoup de traversées.

Départ : de P1 suivre le chemin vers le sud-ouest jusqu'à un petit vallon où se trouve le départ du circuit.

• **Orange** *AD—* n° 5 *dit circuit Safran :* 93 numéros + 15 *bis* numéros. Auteur : Lucien Deschamps. Technique, varié, long et intéressant malgré quelques sections peu soutenues.

Départ : de P3 rejoindre le GR 11 que l'on suit vers l'est (200 m) puis vers le sud (descente) puis de nouveau vers l'est (le départ de l'Orange n° 6 se trouve à gauche au niveau du tournant) jusqu'à une étendue plate où l'on rejoint un bon chemin.

Le départ se situe sur un bloc évident 20 m à gauche du chemin.

• **Bleu** *D—* n° 1 : 69 numéros + 7 *bis.* Auteur : Groupe Alpin Populaire. Long, varié et athlétique.

Départ : de P2 suivre le chemin de gauche vers le sud-ouest ; après 200 m appuyer à droite pour rejoindre le sommet du pignon ; départ en face nord du premier gros bloc rencontré (n° 69 en face sud).

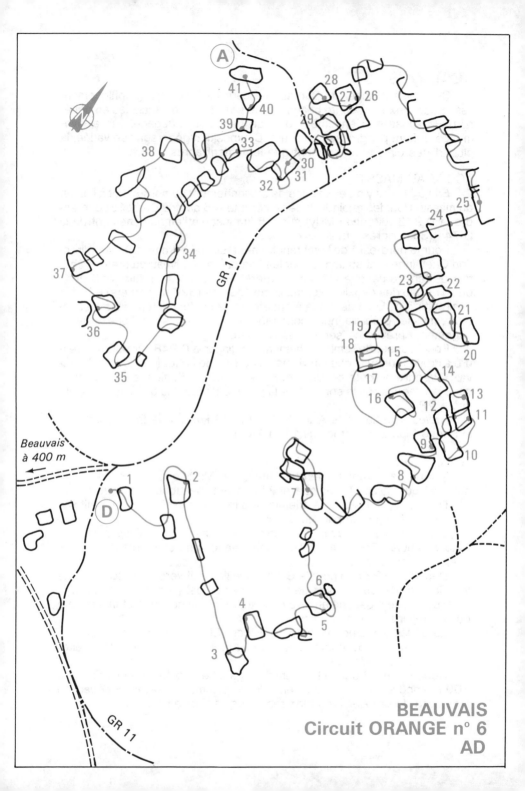

BEAUVAIS
Circuit ORANGE n° 6
AD

- **Rouge *TD* n° 4 :** 24 numéros + 3 *bis*. Technique et très intéressant, il demande une habitude de l'adhérence particulière au massif.

Départ : il se trouve au sommet du faux pignon de 50 m après celui du Jaune n° 3.

- **Rouge *TD* n° 2 :** 26 numéros. Auteur : R.S.C.M. Peu soutenu, il parcourt la crête sud du massif. Il sera prochainement modifié (1985).

Départ : à proximité du parking ouest, dans la petite sablière immédiatement au nord du tournant du GR 11.

- **Rouge *TD* n° 7 :** 34 numéros. Auteur : R.S.C.M. Inégal et un peu court.

Départ : du parking ouest, suivre un chemin de terre plein nord, puis est (évident). Le départ se situe au nord de ce chemin, à une centaine de mètres de ce parking.

- **Orange *AD* n° 6 :** ce circuit a été tracé en 1973 par Lucien Deschamps : il utilise les blocs dominant la descente sud du GR 11. Il recquiert une habitude des rochers de Beauvais ainsi que certaines techniques de l'escalade en montagne. Situé en flanc sud, il sèche relativement vite après la pluie. C'est un classique de moyenne difficulté.

ACCÈS AU CIRCUIT
Voir l'accès de l'Orange n° 5.

COTATIONS

1	IV	Nicole
2	III +	Le surplomb vert
3	III +	La déviation
4	III +	La transversale
5	III +	Le majeur
6	II +	La mineure
7	III +	La dalle de feu
8	III +	L'écartelé
9	III −	La loggia
10	III	La descente du châtaignier
11	III +	Le repose-pied
12	IV −	La spirale
13	III +	La voie des Sioux
14	IV −	Le domino
15	III +	Les points verts
16	IV −	La « Nath »
17	III	L'Alie
18	III +	Le « Z »
19	III +	Le petit jeté
20	IV −	Le pilier
21	IV −	La nord-sud
22	III +	Le ventre
23	IV	L'appui-main
24	II +	L'éjecteur
25	III	Le rase-motte
26	III	La lime
27	III	Le couple-ongle
28	III	L'auvent
29	III +	La contre-pente
30	III	La canine
31	III +	Le contact
32	IV +	Le coup de démarreur
33	III +	La deux temps
34	III	Le nid
35	IV	La dalle des Vallorcins
36	III +	Les ventouses
37	IV −	La voie de la canche
38	III +	L'angle
39	III −	Le dolmen
40	III −	Les Dolomites
41	III −	Le grand panorama

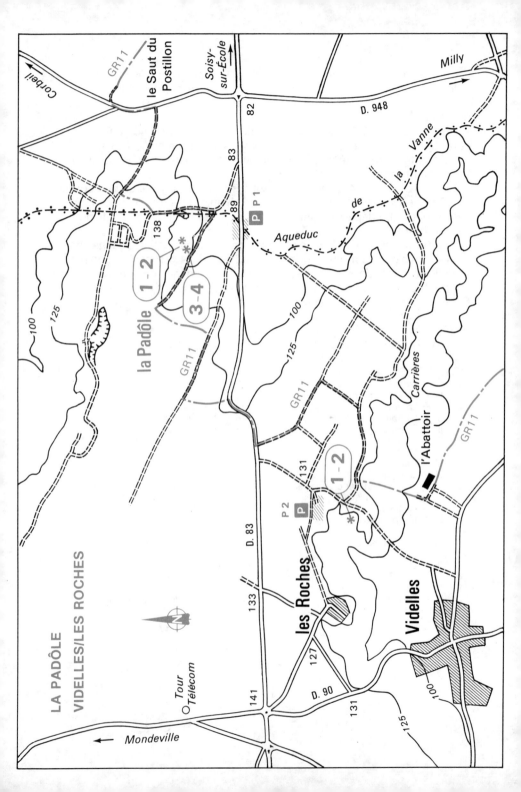

LA PADÔLE
VIDELLES/LES ROCHES

Corbeil

le Saut du Postillon

GR11

Soisy-sur-École

Milly

D. 948

la Vanne

de

Aqueduc

P P1

la Padôle

138

1 – 2

3 – 4

GR11

100

125

GR11

125

100

Carrières

l'Abattoir

GR11

1 – 2

131

P2 P

D. 83

133

les Roches

127

Videlles

D. 90

131

125

100

Tour Télécom

141

Mondeville

82

83

89

N

LA PADÔLE
VIDELLES/LES ROCHES

Il s'agit de deux zones d'escalade distante de 1,5 km, La Padôle étant en majeure partie en sous-bois alors que le chaos des Roches est assez bien dégagé. Dans les deux cas, et surtout à La Pâdole, l'escalade est souvent haute et très exposée, *l'assurage est donc souvent nécessaire.* L'humidité et la terre grasse, particulièrement redoutables à La Padôle, rendent l'escalade très précaire par temps humide.

ACCÈS AUX MASSIFS

En voiture : de l'autoroute A 6, rejoindre le carrefour entre la D 948 (Corbeil-Milly) et la D 83 (La Ferté-Alais - Soisy) (9 km). Prendre à droite la D 83 en direction de La Ferté-Alais. Pour La Padôle, stationner au croisement de l'aqueduc et de la route (éviter le chemin de terre qui part à droite 300 m après le croisement. Risque d'enlisement). P 1.

Pour les Roches, suivre la D 83 et, après le dernier virage de la côte, prendre le 2ᵉ chemin de terre sur la gauche à travers champs (sud ; 1,5 km de l'aqueduc). Point de repère : le GR 11 emprunte le 1ᵉʳ chemin. Suivre le chemin sur 300 m jusqu'au niveau d'un portail ; possibilité de stationnement, laisser le passage pour les engins agricoles ; obliquer alors à 45° à droite (sud-ouest) pour prendre en sous-bois un chemin empierré qui conduit à une vieille carrière (80 m). Excellent stationnement. P 2.

A pied : pour les deux cas, de La Ferté-Alais, suivre le GR 11 qui passe à proximité des zones d'escalade. De Mondeville, couper droit vers La Padôle ou vers Les Roches (12 km).

LES CIRCUITS
LA PADÔLE
Cf. page 53.
VIDELLES/LES ROCHES

• Orange *AD—* n° 1 : 83 numéros + 12 *bis.* Ce magnifique circuit a été créé par Antoine Melchior. Il est très long, varié, technique et privilégie la qualité des enchaînements. L'ensemble, souvent exposé et inégal, demande beaucoup de sûreté et de sang-froid ; il ne convient pas au débutant.

Départ : de la carrière de stationnement, prendre le sentier *horizontal* qui part vers le sud-est immédiatement à l'entrée de la carrière. On atteint un autre front de taille (70 m), monter pour rejoindre la platière et suivre sa bordure vers la droite (sud) sur une centaine de mètres. Le départ se trouve en bordure et sur le banc de grès.

N.B. Dans le fond du chaos, on trouvera quelques flèches orange, résidus d'un circuit d'entraînement à la spéléologie.

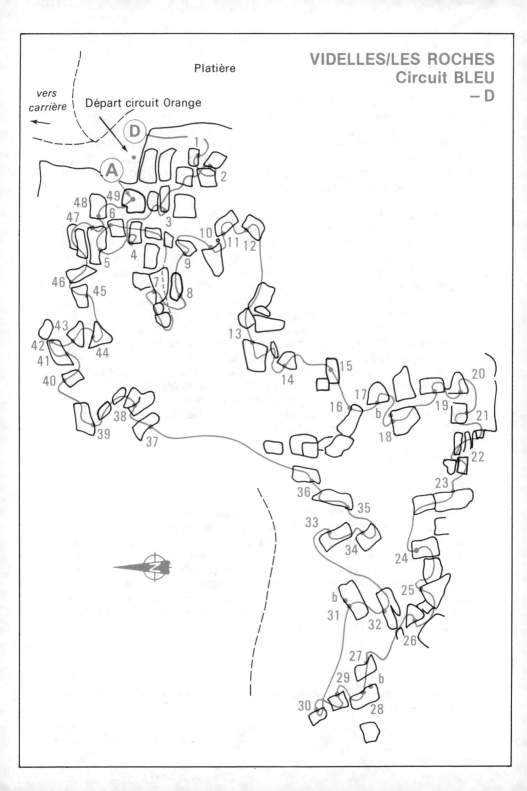

- **Circuit Bleu *D*— n° 2**

Ce beau circuit a été tracé par le Club montagne de Sainte-Geneviève-des-Bois (F.S.G.T.).

Il est assez long, très technique, parfois athlétique et exposé. Les chutes sont souvent mauvaises car, en dehors du chaos où quelques trous retiendront l'attention du grimpeur, le sol est souvent constitué de résidus de carrière. Il est donc recommandé de prendre une corde pour l'assurage de certains passages ainsi qu'une brosse métallique pour parfaire le nettoyage de quelques prises recouvertes de lichen. L'ensemble du circuit sèche assez lentement après la pluie.

ACCÈS AU CIRCUIT

L'accès est le même que pour le circuit n° 1.

COTATIONS

1	III		27	IV —
2	II —		28	III +
3	III —		28b	IV —
4	IV		29	IV
5	IV		30	III
6	III +		31	II
7	IV —		31b	III +
8	III +		32	IV —
9	III —		33	IV
10	IV —		34	III
11	III		35	III +
12	IV —		36	IV —
13	IV —		37	II +
14	IV		38	III +
15	III		39	IV +
16	IV +		40	II
17	III +		41	II +
18	IV		42	III
18b	IV +		43	III
19	III		44	II
20	III +		45	III —
21	IV +		46	III
22	IV —		47	IV
23	IV		48	IV
24	IV —		49	III +
25	IV —			
26	IV +			

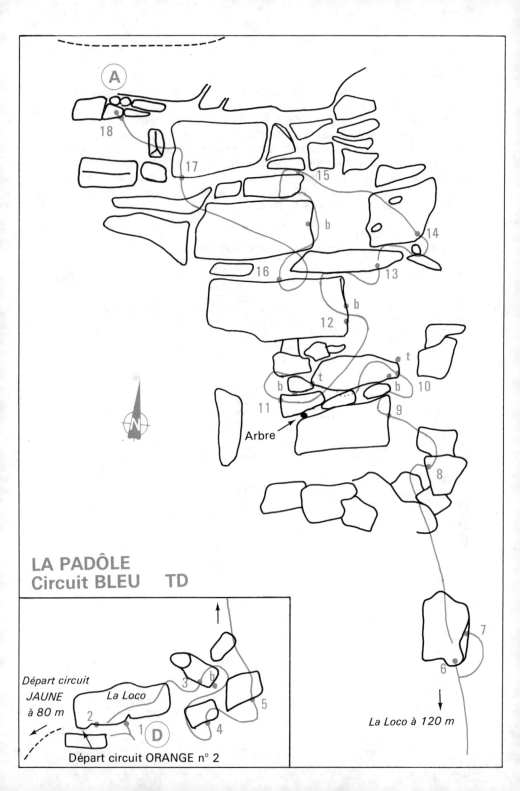

LA PADÔLE
Circuit BLEU   TD

Arbre

Départ circuit
JAUNE
à 80 m

La Loco

Départ circuit ORANGE n° 2

La Loco à 120 m

LA PADÔLE

• Jaune *PD* n° 3 : 41 numéros. Forme une grande boucle qui parcourt complètement le massif. Intéressant mais souvent moussu avec beaucoup d'escalade intérieure (fissures, cheminées) dans le chaos principal.

Départ : du stationnement sur l'aqueduc, suivre ce dernier vers le nord jusqu'à la limite des bois ; suivre alors un chemin de terre sur la gauche sur 250 m, le départ se trouve sur un bloc à droite.

• Orange *AD/AD+* n° 4 : 38 numéros + 13 *bis*. Varié, technique et peu exposé, intéressant malgré un lichen abondant et quelques prises fragiles.

Départ : 15 m à droite du départ du circuit Jaune n° 3.

• Orange *AD+* n° 2 : 30 numéros + 7 *bis*. Auteur : Jean-Jacques Naël. Très technique et intéressant, souvent exposé. Grimpeurs de petite taille, méfiance !

Départ : sur l'arête sud-ouest du magnifique rocher « La Locomotive » 80 m au nord-nord-est du départ du Jaune n° 3.

• Bleu *TD* n° 1

Ce circuit court et très intéressant est très technique et très exposé, ce qui rend l'assurage nécessaire lors des premiers contacts et en particulier dans le chaos principal. La variété des passages comblera tous les grimpeurs. L'humidité peut y être redoutable.

Il sera retracé en rouge.

ACCÈS AU CIRCUIT

Le départ, un des grands classiques de La Padôle, se trouve sur le même bloc que celui du circuit Orange n° 2 et à 80 m au nord-nord-est du départ du circuit Jaune n° 3.

Retour : suivre vers l'est la bordure de la platière. 150 m plus loin emprunter le tracé du GR 11 qui suit vers le sud celui de l'aqueduc et qui conduit au lieu de stationnement.

COTATIONS

1	IV +	Les bavures jaunes	11b	IV +	La dalle verte
2	V −	La fissure du tender	11t	IV	La fissure du Saint-Bernard
3	IV	Le toboggan	12	V	La dalle de la salle à manger
3b	V	Le quarto			(sud)
4	IV +	L'alphabète	12b	VI	La dalle de la salle à manger
5	V	L'envers qu'on croit			(nord)
6	V −	La chose humaine	13	IV −	L'interro
7	IV −	La tortue	14	V +	La Zonder
8	V +	La fille de joie	15	IV −	La fissure de la limace
9	IV +	La sans l'arête	15b	V	Le bivouac
10	V +	La gitane	16	V	La lime à ongle
10b	V −	La fissure recto verso	17	V −	L'expo
10t	V	L'anti-Takat	18	V +	Le mur à Jacques
11t	IV +	La nord-ouest du sandwich			

MAISSE/LE PATOUILLAT

Ce petit massif est un lieu de promenade assez fréquenté ; malgré la présence de quelques gros blocs il présente peu d'intérêt pour l'escalade pour « adultes ».

ACCÈS AU MASSIF

En voiture : sortir de l'autoroute A 6 en direction de Mennecy. Traverser la ville et prendre la N 191 jusqu'à La Ferté-Alais puis la D 449 en direction de Malesherbes à la sortie de Maisse elle monte en faisant un S ; les blocs se trouvent immédiatement à gauche (est) de ce dernier.

LE CIRCUIT

• **Blanc** *enfant* **n° 1 :** 34 numéros + des *bis.* Auteur : Guy Méry (*cf.* page 19).

Départ : en bordure de la D 449.

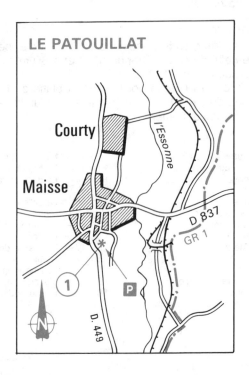

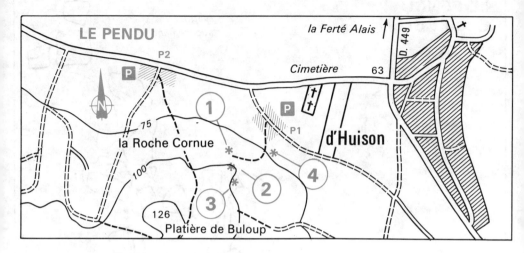

LE PENDU

Le Pendu, nommé la Roche Cornue sur la carte I.G.N., est un massif classique. Bien dégagé par une exploitation forestière, il sèche très vite et l'adhérence y est exceptionnelle. On y trouve de nombreux auvents à gravures rupestres.

ACCÈS AU MASSIF

En voiture : sortir de l'autoroute A 6 en direction de Mennecy. Traverser la ville et prendre alors la N 191 jusqu'à La Ferté-Alais et, de là, la direction Malesherbes (D 449 sur 2,5 km) jusqu'à d'Huison. Tourner à droite (90°) en direction de Longueville, on passe devant le cimetière de d'Huison ; 150 mètres après on prend à gauche (sud-est) la rue de la Roche Cornue sur 50 m. Petit stationnement peu pratique. Les cars des collectivités peuvent stationner devant la mairie.

A pied : de La Ferté-Alais suivre le même itinéraire (4 km).

LES CIRCUITS

● **Blanc** *enfant* n° 3 : 35 numéros. Auteur : Guy Méry. Il est très fréquenté ; attention aux frelons (*cf.* page 19).

Pour les collectivités *il faut demander l'autorisation de pénétrer sur le terrain* à son propriétaire : Monsieur de Surville, le Château, route de Vayres, d'Huison-Longueville, 91590 La Ferté-Alais.

Départ : de la Roche Cornue (*cf.* circuit n° 1) une sente vers le sud conduit à une sorte de « cap », extrémité nord-est de la platière ; départ sur le bord sud du cap.

● **Jaune** *PD* n° 2 : 24 numéros + 3 *bis*. Tracé par l'U.S.I. il est de longueur moyenne, technique, varié et peu exposé.

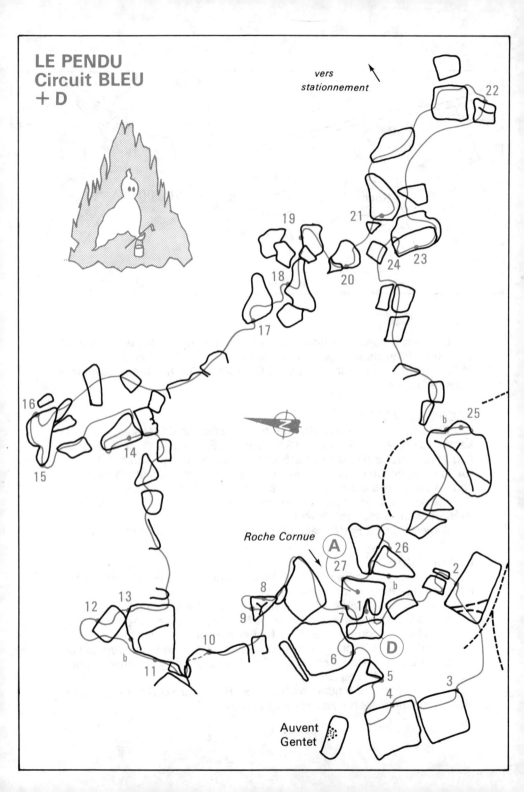

● **Circuit Bleu** *D +* **n° 1**

Tracé par les frères Libert, du C.A.F., et appelé « circuit Fantôme », c'est un grand classique bleausard, peut-être un peu court mais présentant toujours une escalade variée, intéressante et parfois athlétique. Il se termine sur la très belle arête de La Ferté, sur la Roche Cornue appelée aussi rocher du Pendu.

ACCÈS AU CIRCUIT

De la zone de stationnement, emprunter un bon sentier (direction sud-ouest) que l'on suit jusqu'au niveau de la Roche Cornue (très caractéristique). Le circuit prend comme premier passage la cheminée cachée sur le flanc ouest de la Roche Cornue.

COTATIONS

1	IV	La cheminée cachée
2	III +	La dalle des racines
3	IV −	L'angle de la volonté
4	IV −	Le barrage
5	V −	Le billard (grande arête)
6	III −	La voie du trou
7	III	Le dièdre nord
8	IV +	La traversée du lieutenant
9	IV +	L'araignée
10	V	Le toit
11	VI −	La traversée aux poudres
12	V −	La solution
13	III −	Le mur de la vive
14	IV	Les Mouflets (droite)
15	IV +	La vigie
16	V	Le mur en forme de coquille
17	II	La voie de l'arbre
18	IV	Le surplomb nord du zigzag
19	V −	La traversée impossible
20	IV	La traversée du hérisson
21	II +	La traversée de la voie à vache
22	IV	Le nid d'aigle
23	II	La traversée de la roche verdâtre
23b	III +	
24	IV +	La petite banquette
25	IV +	La traversée de l'hectowatt
25b	V −	Le tapis volant
26	IV	Le grand appui
26b	V −	La gamine
27	IV −	L'arête de La Ferté

FORÊT DOMANIALE
DE FONTAINEBLEAU

ROCHER CANON

Massif très fréquenté en raison de la proximité de Melun et de la gare de Bois-le-Roi. Il est peu étendu mais les nombreux circuits d'escalade et de randonnée ont entraîné un surbalisage regrettable. Les blocs y sont en général de faible hauteur et souvent lisses. Si les blocs sèchent vite, le sol reste par contre gras très longtemps après la pluie.

Certaines soirées d'été, la présence de moustiques, due à la proximité de la Mare aux Évées, peut rendre le séjour très désagréable.

ACCÈS AU MASSIF

En voiture : sur l'autoroute A 6, prendre la sortie Ponthierry ; suivre la N 7 jusqu'au niveau de Pringy (6 km). Continuer droit par la N 472 puis la D 142 jusqu'à la Table-du-Roi (9 km, direction Bois-le-Roi). Suivre alors à droite la D 142 E (Route Ronde) sur 2 km. Prendre à droite la route forestière du Lancer puis à gauche la route forestière de la Table-du-Roi, qui conduit à une aire de stationnement (350 m de la Route Ronde).

A pied : de la gare de Bois-le-Roi, un diverticule du GR 1 conduit au Rocher Canon par la route du Lancer (2,5 km).

LES CIRCUITS

• Blanc *enfant* n° 7 : Auteur Michel Coquard. Départ en bordure du sentier d'accès à la zone de blocs, à 60 m du stationnement (*cf.* page 19).

• Jaune/Orange *PD* — n° 3 : numéroté. Long et peu soutenu, il exploite la crête à l'ouest du groupe principal.

Départ : du parking, suivre plein ouest un sentier (laissant un arbre sur bloc sur la gauche) qui rejoint le sentier Bleu n° 12 (100 m). Suivre le sentier d'abord en direction du nord puis vers l'ouest sur 500 m. Le départ se trouve en bordure du sentier Bleu, 50 m après avoir coupé le GR 1 et le T.M.F. (Route des Monts de Fays).

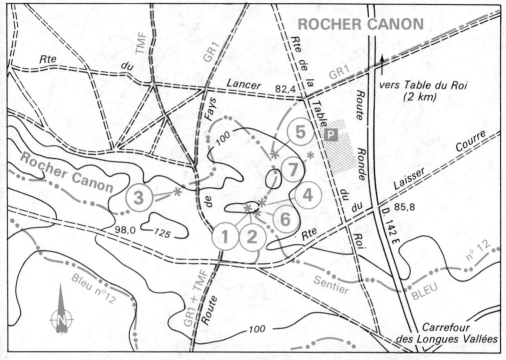

ROCHER CANON

Rte du   TMF   GR1   Rte de la Table   GR1

Lancer   82,4

vers Table du Roi (2 km)

Fays   100

Route Ronde du du Roi

Courre

Laisser

D. 142 E   85,8

Rocher Canon

98,0   125

de

Rte

Sentier

n° 12

BLEU

Bleu n°12

GR1 + TMF Route

100

Carrefour des Longues Vallées

• **Jaune** *PD* n° 2 **:** 40 numéros. Auteur : Gérard Weyl. Très classique, assez athlétique sur la fin et intéressant malgré des prises souvent polies.

    Départ : par un sentier évident (ouest), rejoindre le sentier n° 12 (*cf.* circuit n° 3) et le suivre vers le sud jusqu'au sommet du pignon (Rocher Canon). Le départ se situe au pied de la face nord du rocher.

• **Vert** *AD* + n° 1 **:** 31 numéros + 1 *bis*. Tracé par la C.I.H.M. il est varié, assez inégal et parfois athlétique. Il sera repeint en orange.

    Départ : sur le même bloc que le Jaune n° 2.

• **Bleu** *D* n° 5 **:** 42 numéros + 6 *bis*. Auteurs : MM. Berger, Naël et le G.S.D.I. De longueur moyenne ce circuit est technique, varié et parfois athlétique ; il sèche lentement après la pluie.

    Départ : du parking, rejoindre le sentier Bleu n° 12 (*cf.* circuit n° 3). Le premier passage se situe à droite du sentier quelques mètres après la jonction.

• **Bleu clair** *TD* —/*D* + n° 4 **:** *cf.* page 61.

• **Rouge** *ED* — n° 6 **:** 56 numéros + 5 *bis*. Auteurs : G.S.D.I., U.S. de Bagnolet et U.S.I. (F.S.G.T.). Très technique, athlétique et intéressant, il requiert des doigts solides.

    Départ : à droite du sentier Bleu, 30 m après le départ du circuit n° 4 (bivouac éponge).

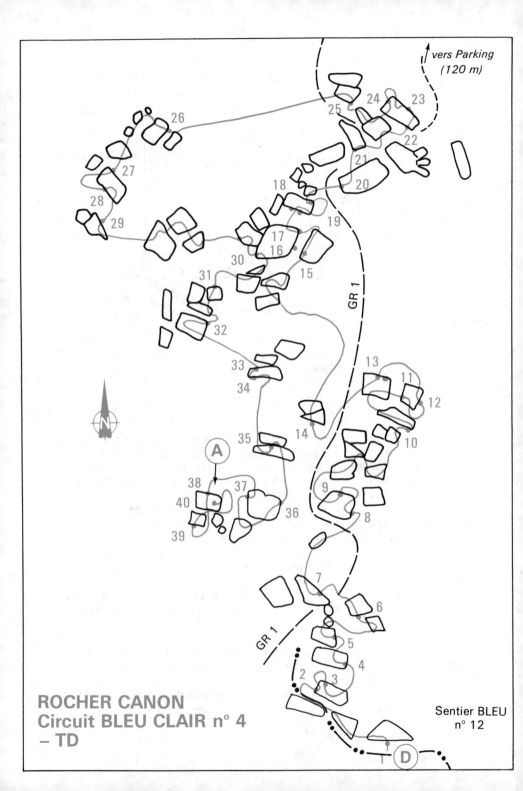

vers Parking
(120 m)

GR 1

GR 1

**ROCHER CANON
Circuit BLEU CLAIR n° 4
– TD**

Sentier BLEU
n° 12

• Circuit Bleu clair *TD —/D +* n° 4

Ce circuit a été tracé par le Groupe Alpin Populaire en 1963. Son originalité tient à la recherche de passages intermédiaires qui permettent une escalade enchaînée et continue. Il est très technique et parfois athlétique et demande une bonne habitude de l'adhérence. Comme le circuit n° 1, il est rapidement en condition après la pluie.

ACCÈS AU CIRCUIT

Du parking, par un sentier plein ouest, rejoindre le sentier Bleu n° 12 que l'on suit vers le sud jusqu'à une quarantaine de mètres avant le sommet du pignon. Le départ est une belle dalle en bordure gauche du sentier.

COTATIONS

1	V −	Le cap G.A.P.	21	V	La Bendix
2	IV +	Le pied levé	22	IV −	L'eunuque
3	IV +		23	IV	
4	VI −	L'appuyette	24	IV +	La Frouch'mammouth
5	IV +		25	V	Le surplomb du Bengale
5b	IV +		25b	IV +	
6	V	L'attrape-mouche	26	V −	
7	IV		26b	IV +	
8	V	Le sphinx	27	IV	
8b	V −		28	V −	
9	IV	Le Golgotha	29	IV −	
9b	V −		30	IV	
10	V	La traversée de l'ex-souche	31	IV +	le prétoire
11	V −		32	V	La fédérale
12	IV +	Le beaufort	33	IV	La voie de l'obèse
13	IV +	La queue du dromadaire	34	IV +	
13b	IV +		35	IV	
14	IV +	L'imprévue	36	IV +	Le serpent
15	V	L'emmenthal	36b	IV	
15b	VI −		37	IV	Le French Cancan
16	V	Le cheval d'arçon	37b	IV −	
16b	V +		38	V −	
17	V	Le cruciverbiste	39	V	Le SMIG
17b	V +		40	V −	Le Cervin
18	IV	La soprano	40b	V	
18b	V −				
19	IV −				
20	V	La contralto			

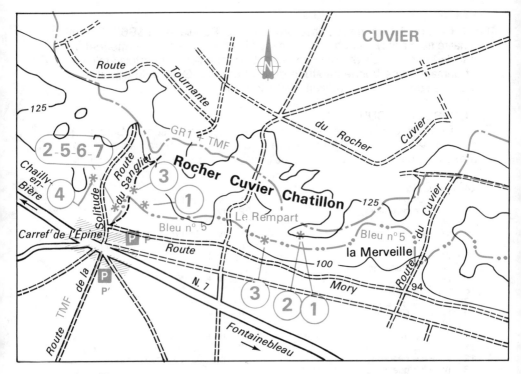

CUVIER

C'est le massif le plus parcouru de la forêt de Fontainebleau. Son succès est largement dû à la facilité de son accès et à une renommée qui dure
depuis le début du siècle et qui a même dépassé nos frontières.

Les circuits d'escalade se situent au Bas-Cuvier et au Cuvier-Rempart.
Il existe cependant d'autres lieux d'escalade, comme La Merveille, mais qui
ne font l'objet d'aucun balisage.

Le Cuvier-Rempart, qui a connu longtemps les faveurs bleausardes en
raison de ses qualités alpines, est aujourd'hui moins parcouru que le Bas-
Cuvier. Cependant des voies récentes semblent marquer un renouveau certain. Le Bas-Cuvier sied mal aux solitaires, aux amateurs de vertige et d'exposition. Ici, à tous les degrés de difficulté, c'est un laboratoire du geste :
l'athlète du surplomb doit devenir gracile et le débutant styliste et technicien.

Certains pourraient penser qu'une fréquentation des lieux aussi intense
et ancienne entraînerait une escalade académique. Il n'en est rien, l'imagination cohabite avec l'entraînement le plus répétitif. Et, quand la verticalité
ne suffit plus, c'est dans l'horizontalité que l'on conquiert l'inutile. Les enchaînements frénétiques et les traversées éprouvantes permettent alors au
bleausard d'être un falaisiste averti ou un alpiniste entraîné.

ACCÈS GÉNÉRAL

En voiture : quitter l'autoroute A 6 en direction de Fontainebleau. Rejoindre la N 7 et dépasser Barbizon, continuer sur 1 km jusqu'au carrefour de l'Épine. Il n'est pas conseillé d'utiliser la partie sud du parking *à pied la traversée de la Nationale étant très dangereuse.* Il vaut mieux continuer jusqu'au carrefour de la Croix du Grand Veneur et y faire demi-tour.

A pied : de la gare de Bois-le-Roi, suivre d'abord le diverticule du GR 1 puis le GR 1 vers le sud jusqu'aux rochers du Cuvier Chatillon.

CUVIER-REMPART du parking, suivre le sentier Bleu n° 5 vers l'est, sur environ 800 m.

LES CIRCUITS

• **Rouge** *AD* — n° 1 : 16 numéros. Auteur : Fred Bernick, du C.A.F. (1947). Premier circuit tracé à Fontainebleau. Conçu comme un enchaînement destiné à l'entraînement alpin. Très classique, sèche vite (sauf sur le versant nord).

Départ : suivre le sentier Bleu n° 5. On rencontre l'« aérolithe », gros bloc caractéristique, posé sur une table rocheuse. Quitter ce sentier 60 m plus loin, à l'endroit où il fait une chicane à droite, pour prendre à gauche une sente vers le sommet. Le départ se trouve *sur* la platière côté sud (134,6 I.G.N.).

• **Jaune** *D —/AD +* n° 2 : *cf.* page 69.

• **Noir** *ED* — n° 3 : 47 numéros. Auteur : René Porta. Remarquable circuit peu fréquenté et exposé. Très technique, à doigts. Les rochers sont souvent recouverts de lichen. De nombreuses voies de très haut niveau ont été ouvertes à proximité en particulier par Yves Payrau (*cf.* Vertical n° 3 p. 77).

Départ : environ 40 m à l'est après l'« aérolithe », sur le sentier Bleu (*cf.* circuit n° 1).

BAS-CUVIER le parking de « l'Épine » est contigu au massif.

LES CIRCUITS

• **Orange** *AD* — n° 3 : *cf.* page 65.

• **Bleu** *D* — n° 1 : 26 numéros + 2 *bis.* Auteur : Pascal Meyer, du R.S.C.M. Ce circuit, situé dans un cadre forestier tranquille, est peu fréquenté. Il est varié, inégal et parfois exposé.

Départ : du parking, suivre le sentier Bleu n° 5. Lorsqu'il tourne à l'est, repérer la Prestat (n° 48 du Bleu n° 7) et la rejoindre. Le départ se situe sur un petit bloc immédiatement après.

• **Bleu** *TD* n° 4 : 30 numéros + 2 *bis.* Auteur : « Philou », du R.S.C.M. Circuit tranquille et très inégal. Quelques voies très difficiles.

Départ : en bordure ouest de l'aire de stationnement.

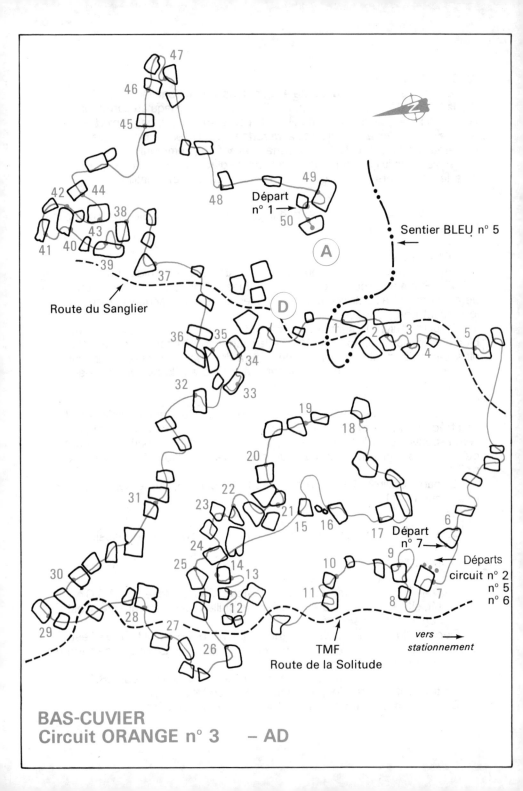

- **Bleu** *TD* — n° 7 : 48 numéros + 3 *bis*. Tracé par le R.S.C.M., c'est un circuit très élégant dont les voies sont généralement beaucoup plus techniques qu'athlétiques.

  Départ : à 20 m au nord du parking.
- **Rouge** *TD* + n° 6 : *cf.* page 67.
- **Noir** *ED* — n° 2 : 30 numéros + 2 *bis*. Tracé par Roland Trivellini, il a été complété par J. Godoffe et Jo Montchaussé. Bien que remarquable, il est peu fréquenté.

  Départ : à 20 m au nord du parking.
- **Blanc** *ED* + n° 5 : *cf.* page 67.
- **Circuit Orange** *AD* — n° 3

  Très beau circuit convenant aux débutants confirmés, tracé par Patrice Krier du R.S.C.M. Il permet par sa variété l'apprentissage des diverses techniques bleausardes. Il est peu exposé, sauf les n°ˢ 24, 32 et 50. Si ce circuit constitue de belles gammes pour l'aspirant « quarto », il est aussi pour le fort grimpeur une excellente mise en condition physique s'il le parcourt en moins d'une demi-heure.

ACCÈS AU CIRCUIT

A 100 m du parking non loin du sentier Bleu n° 5, place du Cuvier.

COTATIONS

D	II —	La fissure de la place du Cuvier	24	IV —	Le tire-bras (traversée)
1	II	Le petit rétab	25	III —	Le mur aux fênes
2	II +	La fissure de l'auto	26	II —	Le « trois » (dalle nord)
3	III —	L'envers des trois	27	III —	Le petit surplomb
4	III —	Le second rétab	28	III —	La rigole ouest de la solitude
5	II +	Le onzième trou	29	II	La delta
6	II	La sans les mains (arête sud-est)	30	II +	La fissure des enfants
7	III	La voie de l'arbre	31	II —	La grenouille, dalle ouest
8	II	La dalle du tondu	32	III	La dalle aux trous (face nord)
			33	III —	La traversée de la dalle des flics
9	III	L'envers du J	34	IV —	La jarretelle
10	III	L'oreille cassée	35	II	Le zéro sup
11	II	La dalle de l'élan (gauche)	36	II +	Le boulot
12	II	La petite côtelette	37	II	La dalle aux demis
13	II —	La fissure sud du coq	38	III —	Les tripes (voie normale)
14	II —	La traversée de la crête du coq	39	III +	La dalle du 106
15	II +	La proue	40	I +	Le coin du 5
16	III —	La tenaille	41	II	Les lunettes
17	II +	La deux temps	42	II +	Les pinces
18	II —	La voie bidon	43	III +	La traversée du doigt
19	II	La dalle du pape	44	II	Les lichens
20	II —	La fissure est de la gamelle	45	II +	La verte
21	II +	La traversée du bock	46	III	La déviation
22	II +	Le petit angle	47	III +	Le petit mur
23	II +	Le muret	48	II +	L'envers du Pascal
			49	III	L'envers du réveil-matin
			50	III +	La Prestat

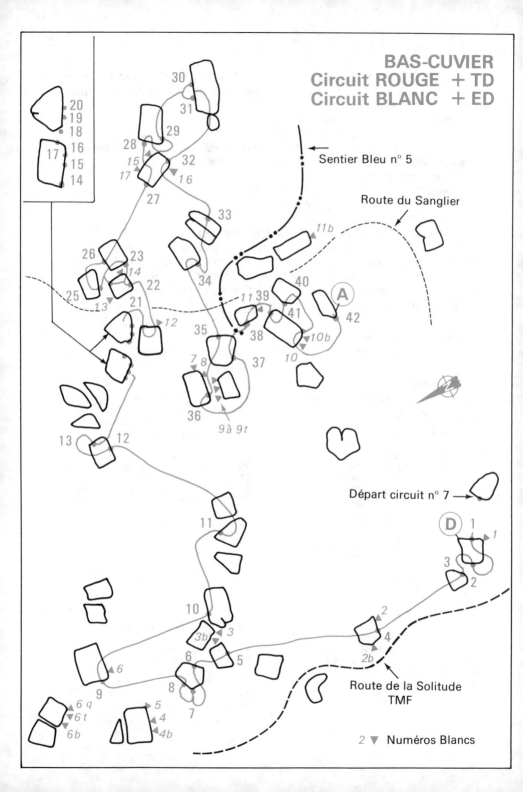

ACCÈS AUX CIRCUITS

Départ : sur le même bloc à 20 m au nord du parking.

● **Circuit Rouge** *TD* + n° 6

Ce circuit tracé par le R.S.C.M. est une anthologie de l'escalade difficile. C'est un excellent test de niveau et de forme qui demande des doigts et du savoir-faire. Il peut s'enchaîner en moins d'une demi-heure.

COTATIONS

1	V +	L'envers du « un » (sortie directe)
2	V +	La goulotte sans la goulotte
3	V +	Le trou du tondu
4	VI −	Le trou du Simon
5	V +	La genouillère
6	V +	La Gugusse
7	V +	Les frites
8	V	La vire Authenac
9	VI −	La Daubé
10	V	La bijou
11	V +	Le ligament gauche
12	V	La dalle au trou
13	V	La voie de la vire
14	VI	Les bretelles
15	V +	L'Authenac
16	V	La V 1
17	V	La traversée Authenac
18	V +	La parallèle
19	V +	La Leininger
20	V +	La Suzanne
21	VI −	La Nescafé
22	VI −	La Marie-Rose
23	V	La bizuth
24	V +	La troisième arête
25	V +	L'angle rond
26	V +	L'huître
27	V	Le quartier d'orange
28	V +	La Nasser
29	V	Le réveil-matin
30	VI −	La Couppel
31	VI −	Les grattons du Baquet
32	V +	La dalle du Baquet
33	V +	La chocolat
34	V	La côtelette
35	V	Les esgourdes
36	VI −	Le soufflet
37	V +	Le coup de rouge
38	V +	La bicolore
39	V +	La clavicule
40	V	L'orientale
41	V +	L'ectoplasme
42	VI −	La fauchée

● **Circuit Blanc** *ED* + n° 5

Ce circuit, qui a de nombreux auteurs, est le livre ouvert de l'histoire de l'escalade extrême au Bas-Cuvier. Il demande un apprentissage des passages et une grande maîtrise bleausarde.

COTATIONS

1	VI +	La Lili
2	VI −	L'emporte-pièce (fissure)
2b	VII +	L'aérodynamite
3	VI −	Le dernier jeu
3b	VI	La Ravensbruck
4	VI	La charcuterie
4b	VII	L'angle incarné
5	VI +	La boucherie
6	VI	La défroquée
6b	VII −	L'abattoir
6t	VII	Le carnage
6q	VII +	L'abbé Résina
7	VI	La résistante
8	VI +	La forge
9	VI	La folle
9b	VI	L'enclume
9t	VII −	La rhume folle
10	VII −	La vie d'ange
10b	VI	La dix tractions
11	VI +	La clé
11b	VI +	La tour de Pise
12	VI +	La chicorée
13	VII −	La jocker
14	VI +	Le 4e angle
15	VI	La Stalingrad
16	VI +	La chalumeuse
17	VII	La super Prestat

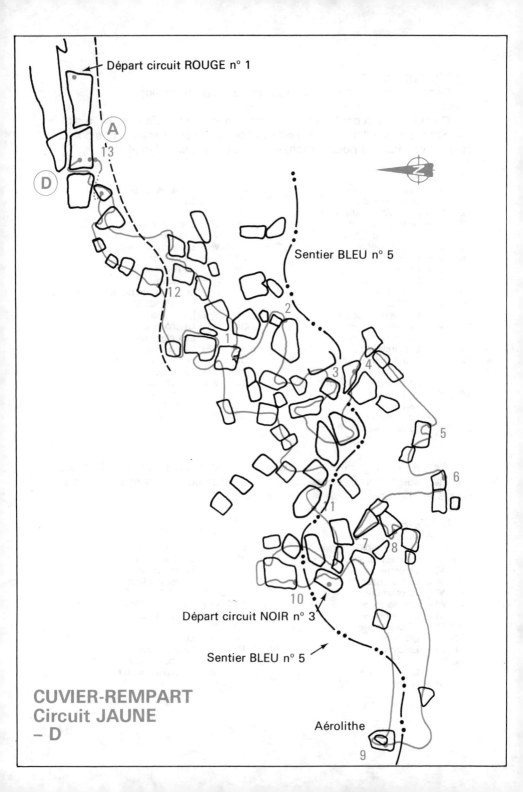

Départ circuit ROUGE n° 1

Ⓐ
13
Ⓓ

Sentier BLEU n° 5

12

2

1

3   4

5

6

7   8

1

10

Départ circuit NOIR n° 3

Sentier BLEU n° 5

CUVIER-REMPART
Circuit JAUNE
– D

Aérolithe

9

• **Circuit Jaune** *D —/AD +* n° 2

C'est le deuxième circuit de l'histoire de Fontainebleau, tracé en 1947 par Fred Bernick, du C.A.F. Il constitue un bel enchaînement de passages techniques et parfois exposés.

ACCÈS AU CIRCUIT

Départ situé *sur* la platière, à 20 m à l'ouest du départ du circuit Rouge *AD —* n° 1 (*cf.* page 63).

COTATIONS

1	III +	La mémère	8	IV		La dalle blanche
2	III	La bifur	9	IV		L'aérolithe
3	IV —	L'inattendue	10	IV		La demi-lune du S
4	II +	Le petit Grépon	11	IV		La Gaby
5	IV	Le toboggan	12	III +		La Johannis
6	IV +	Traversée de la douloureuse	13	III +		Le rempart (arête S.O.)
7	IV	Le déversoir				

NOTE HISTORIQUE

Fred Bernick décrivait ainsi les boucles qu'il venait de tracer : « Par la nature de sa constitution géologique, entraînant une difficulté technique sans égale en France et sans doute au monde, Fontainebleau constitue la plus poussée et la plus pure des écoles d'escalade...

« Un reproche sérieux, c'est le défaut total de voies d'une longueur suffisante pour offrir une variété et une continuité d'effort comparables à celles d'une ascension en haute montagne. Isolément, chaque voie peut s'assimiler à un passage de montagne ; ce qui manque, c'est la liaison entre les passages, cet enchaînement d'écarts, de poussées, de sauts, qui oblige l'alpiniste à un travail musculaire soutenu... C'est avec l'intention d'en faire moins un jeu qu'un parcours d'entraînement à la haute montagne que les "Circuits du Rempart" ont été réalisés. Innovation d'un intérêt apparemment peu contestable, permettant au surplus la marche en cordée... ».

ROCHER SAINT-GERMAIN

A 3 km au nord de Fontainebleau et juste à côté de l'hippodrome de la Solle, ce petit massif sympathique est très fréquenté. Si de grands arbres y créent une ombre agréable en été, ils contribuent aussi à entretenir une certaine humidité. Comme au Rocher Canon, les blocs présentent une texture à grains fins qui rend l'adhérence délicate.

ACCÈS AU MASSIF

En voiture : de l'autoroute A 6, prendre la sortie Ponthierry ; suivre la N 7 jusqu'au niveau de Pringy (6 km). Continuer droit par la N 472 et la D 142 (direction Bois-le-Roi) jusqu'au Carrefour de la Table du Roi. Suivre ensuite la N 6 en direction de Fontainebleau sur 5 km, jusqu'à deux parkings caractéristiques sur la droite de la route avant un tournant marqué sur la gauche.

A pied : de Bois-le-Roi, par le diverticule du GR 1 rejoindre la N 6 et suivre l'itinéraire précédent (4,5 km au total).

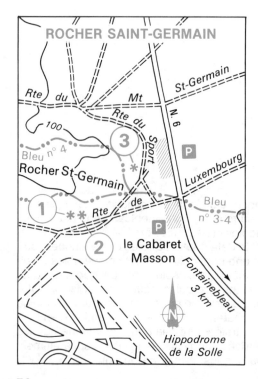

Platière. Apremont. ▶

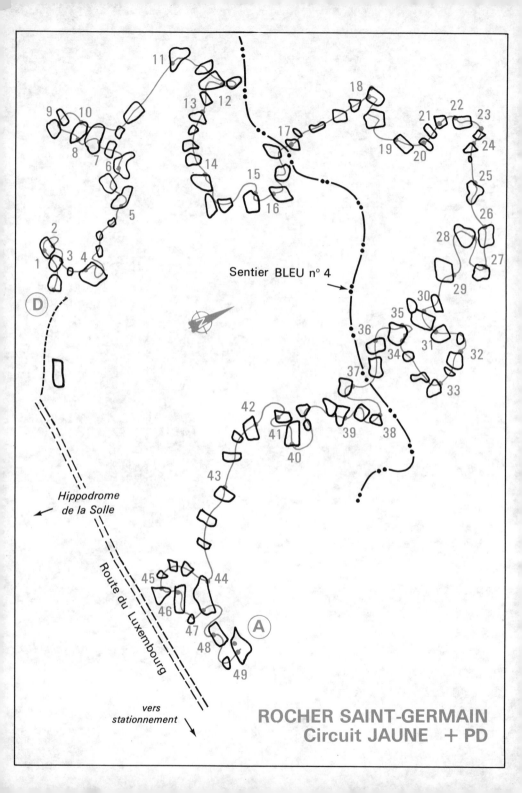

Sentier BLEU n° 4

Hippodrome
de la Solle

Route du Luxembourg

vers
stationnement

ROCHER SAINT-GERMAIN
Circuit JAUNE + PD

LES CIRCUITS

- **Blanc** *enfant* n° 3 : 51 numéros + 25 *bis*. Auteur C.E.M.E.A.
  Départ : une dizaine de mètres à l'ouest de la route du Sport au niveau de l'aire de stationnement nord (*cf.* page 19).
- **Orange** *AD* + n° 2 : 44 numéros. Auteur : inconnu. Circuit rénové par Jean-Claude Beauregard des A.A.F.F. Hétérogène et assez athlétique.
  Départ : du parking, suivre la route forestière du Luxembourg vers l'ouest sur 350 m ; le départ se trouve sur une petite dalle à droite du chemin.
- **Jaune** *PD* + n° 1 : tracé par Gaston Chédor en 1956 et complété en 1976 par Jean-Claude Beauregard des A.A.F.F., ce circuit est long, varié et homogène ; il requiert une bonne technique de l'escalade.

ACCÈS AU CIRCUIT

Rejoindre le départ du circuit n° 2. De là, une sente conduit en 30 m au départ du circuit.

COTATIONS

1	II	Départ	26	II	La vire à bicyclette
2	II	La fissure oblique	27	II +	Les deux pieds sur le point
3	III	L'adhérence	28	III −	Le pendule
4	III	Le boulevard Saint-Germain	29	II +	Le quai Saint-Michel
5	II +	Les bras	30	III −	La voie du Cyclope
6	II −	L'angle	31	II −	La reposante
7	II	La savonnette	32	II +	Le mauvais pas-sage
8	III −	La fissure	33	II +	La déversante
9	II	La brèche	34	II +	La N 6
10	II −	Le retour	35	III	L'envers du Cyclope
11	II	L'angle plat	36	III	Le mirage
12	III −	Les 2 marches	37	II +	La main haute
13	II −	En passant	38	II −	Le Panthéon
14	II +	L'angle droit	39	II	
15	II	Les deux blocs	40	III	Le bénitier
16	II	La voie de l'arbre	41	III −	Le pied
17	II	Le mini-bloc	42	II	L'escalator
18	II	La droite	43	II	La main droite
19	II −		44	II −	Le cabaret
20	II	Les doigts	45	II +	Le souvenir
21	III	Le crochet	46	III	Le fer à cheval
22	II +	La dalle Saint-Germain	47	III	L'écaille
23	III −	Le biceps	48	II +	
24	II −	La relax	49	III −	Le rond
25	II −	Le réta	50	III +	La difficile

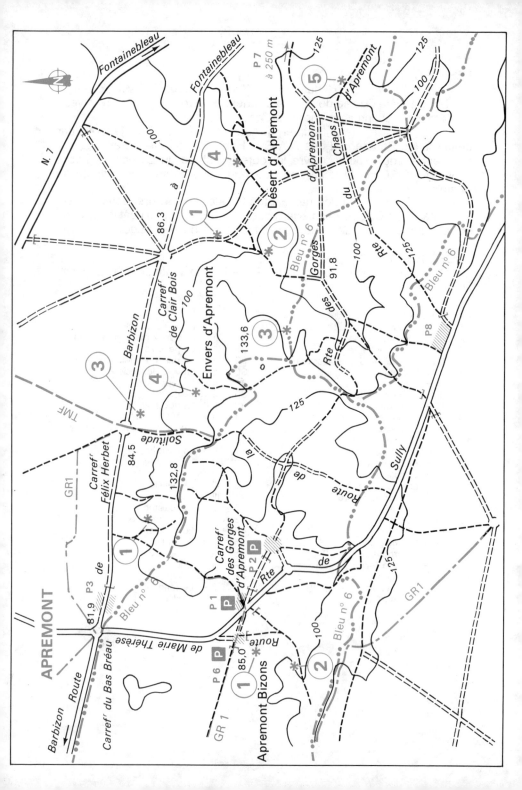

APREMONT

C'est le chaos de blocs le plus étendu et le plus foisonnant de la forêt de Fontainebleau. Ses milliers de rochers de toutes tailles et de toutes difficultés ont permis le tracé de nombreux circuits dont certains figurent parmi les plus connus et les plus remarquables de Fontainebleau. La multitude des blocs et des circuits favorise les enchaînements sans temps morts et un entraînement de haut niveau.

Le massif étant assez vaste, les grimpeurs ont pris l'habitude de le diviser en quatre groupes : les Gorges d'Apremont, l'Envers d'Apremont, Apremont Bizons et le Désert d'Apremont.

Le massif des Gorges d'Apremont est de loin le plus pourvu de circuits. Exposé au sud, il sèche remarquablement vite grâce à une végétation clairsemée de bouleaux admirables en automne.

L'Envers d'Apremont, situé en flanc nord et couvert par une végétation plus touffue qu'aux Gorges d'Apremont, est moins vite en condition après la pluie. Il présente néanmoins trois circuits marquants dont l'escalade est fort agréable du printemps à l'automne.

Constitué de blocs parsemés dans une forêt de fougères, Apremont Bizons s'étend au sud-ouest des Gorges d'Apremont. C'est un massif pour amateurs de calme et d'escalade de difficulté moyenne, qui ne craignent pas le lichen. Il mérite néanmoins de ne pas tomber dans l'oubli.

L'abondance de la végétation pourra surprendre dans le Désert d'Apremont. Cet ensemble de petits rochers qui sèchent vite forme un massif aux circuits parfaitement adaptés à la découverte de la varappe.

ACCÈS GÉNÉRAL

En voiture : quitter l'autoroute A 6 en direction de Fontainebleau. 7 km plus loin, sauf pour le Désert, tourner à droite pour rejoindre Barbizon puis prendre à gauche la rue principale (est), que l'on suit jusqu'au carrefour du Bas-Bréau (1,8 km). Pour le Désert : de l'A 6 suivre la N 7 sur 11 km et stationner en bordure sur un parking (P 7) situé 300 m après une côte caractéristique.

A pied : de la gare de Bois-le-Roi, suivre d'abord le diverticule du GR 1, puis le GR 1 vers le sud jusqu'au carrefour du Bas-Bréau. On peut couper par le T.M.F. au niveau du Cuvier.

ACCÈS AUX GROUPES ET LES CIRCUITS :

GORGES D'APREMONT

Du carrefour du Bas-Bréau, suivre vers le sud la route de Marie-Thérèse. A 600 m et après un tournant marqué sur la gauche, on trouvera la première aire de stationnement P 1 (carrefour des Gorges d'Apremont) et, 150 m plus loin, la deuxième aire P 2 à 50 m sur la gauche (carrefour des Alpinistes ou des Varappeurs).

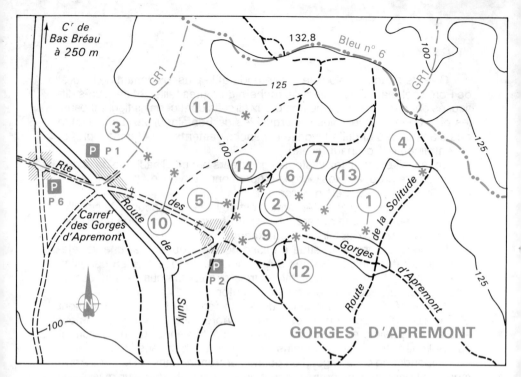

GORGES D'APREMONT

LES CIRCUITS

- **Blanc** *enfant* n° 14 : 46 numéros + 5 *bis*. Auteur : Michel Coquard. Départ : en bordure droite du chemin d'accès au circuit Bleu n° 5 à 50 m de P 2 (*Cf.* page 19).
- **Jaune** *PD* + n° 9 : *cf.* page 79.
- **Vert clair** *AD − /AD* n° 2 : 21 numéros + 2 *bis*. Auteurs : Pierre Mercier et des camarades du C.A.F. Assez court et un peu inégal, c'est un grand classique aux prises très polies.

Départ : de P 2, suivre la route des Gorges vers l'est sur 180 m. Il se trouve sur un petit bloc à gauche du chemin, immédiatement après le premier tournant à droite.

- **Orange** *AD* n° 3 : numéroté. Auteurs : Pierre Mercier et des camarades du C.A.F. Il est actuellement (janvier 1986) en cours de modification. Une chaîne, placée par le CO.SI.ROC., facilite la descente du bloc n° 4 qui est très délicate et dangereuse par la voie de montée.

Départ : en bordure de P 1.

- **Orange** *AD* + n° 1 : *cf.* page 83.
- **Bleu** *D* n° 5 *dit Outremer* : 44 numéros + 6 *bis*. Auteurs : Monique Fédoroff et Pierre Nédélec. Très beau circuit régulier, présentant une majorité de dalles parfois exposées. Il demande une bonne technique de l'escalade.

Départ : de P 2, suivre un chemin vers le nord sur 100 m. Le départ se trouve sur un gros bloc à gauche de ce chemin.

- **Bleu** *D* n° 13 : 40 numéros. Auteurs : Jean-Paul Lebaleur et Claude Pétroff. Circuit de longueur moyenne, varié et très intéressant. Il présente quelques passages exposés.

    Départ : de P 2, suivre la route des Gorges d'Apremont vers la droite (est). Prendre le sentier en oblique à gauche immédiatement après le départ du circuit n° 2, le quitter quelques mètres plus loin pour rejoindre le circuit Orange n° 1 au niveau du n° 18. Le suivre. Le départ du Bleu se trouve au pied du bloc n° 19, *cf.* page 82.

- **Fraise écrasée** *D* + n° 4 : 27 numéros + 3 *bis*. Court, varié, un peu inégal, c'est un vieux circuit classique qui s'étend dans un endroit fort calme. Son départ à proximité de la fin du circuit Bleu n° 13 permet un enchaînement intéressant.

    Départ : de P 2, suivre la route des Gorges d'Apremont vers l'est ; 300 m plus loin, prendre la route de la Solitude sur 200 m vers le nord. Départ sur un bloc bordant le sentier à gauche et 30 m avant la platière.

- **Orange** *TD* − */TD* n° 6 *dit Saumon : cf.* page 85.

- **Rouge-Blanc** *TD* + n° 10 : 40 numéros + 2 *bis*. Auteurs : MM. Berger et Naël, de l'Union Sportive de Bagnolet (F.S.G.T.). Souvent athlétique avec des grattons agressifs ! Parfois pour grimpeurs de grande taille.

    Départ : de P 1, suivre le circuit n° 3 jusqu'à son bloc n° 4. Le départ se trouve sur un rocher 30 m plus à l'est.

- **Bleu clair** *ED* − */TD* + n° 11 *dit circuit fissures : cf.* page 87.

- **Rouge** *ED* − n° 12 : *cf.* page 89.

- **Blanc** *ED* + n° 7 : 16 passages repérés et sans rocher intermédiaire. Auteurs : Lucien Guilloux et Jo Montchaussé. Ensemble de passages de VI + et de VII.

    Départ : de P 2, suivre la route des Gorges d'Apremont vers l'est jusqu'au départ du circuit Rouge *ED* − n° 12, que l'on suit alors jusqu'au bloc n° 7, sur lequel se trouve le départ du circuit Blanc.

N.B. On trouvera dans la partie sud des Gorges les restes de l'ancien circuit Vermillon qui a été abandonné.

ENVERS D'APREMONT

Du carrefour du Bas-Bréau, suivre vers l'est la route forestière de Barbizon à Fontainebleau. P 3 se trouve 100 mètres plus loin (barrière).

LES CIRCUITS

- **Jaune** *PD* n° 3 : 32 numéros et 5 *bis*. Auteur : un groupe de Villeneuve-le-Roi (F.S.G.T.). Intéressant et peu soutenu.

    Départ : de P 3 suivre le chemin vers l'est sur 600 m jusqu'au carrefour Félix-Herbet, 30 m après le carrefour repérer une corbeille O.N.F. Le départ se situe sur un bloc situé au sud.

- Orange *AD* n° 4 : *cf.* page 91.
- **Rouge** *TD* − n° 1 : 55 numéros + 4 *bis*. Auteur : Jacques Batkin, dit « La Farine ». Classique bleausard, long, varié, avec quelques sections de marche et présentant de magnifiques passages souvent athlétiques et parfois exposés.

Départ : de P 3 suivre le chemin vers l'est sur 200 mètres et prendre une sente en direction est-sud-est qui conduit en une centaine de mètres au bloc de départ.

APREMONT BIZONS

Du carrefour du Bas-Bréau, suivre la route de Marie-Thérèse vers le sud. Au niveau du premier virage à gauche, quitter la route goudronnée et continuer tout droit jusqu'à la barrière O.N.F. (P 6), où l'on retrouve le GR 1 (500 m).

LES CIRCUITS
- **Bleu** *D* − n° 2 : *cf.* page 93.
- **Bleu** *D* + n° 1 : 40 numéros + 2 *bis*. Auteurs : créé par Daniel Lecointe, il a été complété par la F.S.G.T. Sainte-Geneviève-des-Bois. Intéressant et technique, un peu inégal, adhérence excellente. Le dernier tiers du circuit qui est peu soutenu sera modifié (janvier 1986).

Départ : 100 m au sud-ouest de P 6 (vague sente).

DÉSERT D'APREMONT

De P 7, suivre la route de Gustave vers l'ouest (route de droite). Continuer par la route des Druides, qui devient un sentier, pour descendre un petit vallon et qui rejoint la route des Gorges d'Apremont au début de la « plaine » du Désert.

LES CIRCUITS
- **Jaune** *PD* + n° 1 : *cf.* page 95.
- **Jaune** *PD* + n° 2 : 19 numéros. Auteur : A. Schlub. Petits blocs assez lisses, peu soutenu, devient plus corsé sur la fin tracée en vert.

Départ : continuer par la route des Gorges d'Apremont ; prendre à droite la route du Clair Bois sur 300 m environ et tourner à gauche dans un bon chemin qui mène au départ en une centaine de mètres.
- **Orange** *AD* n° 3 : 23 numéros + 1 *bis*. Ce circuit, intéressant et varié, a été tracé dans ce site très calme par A. Schlub en 1969. Il est homogène, technique, peu athlétique et court. C'est un « classique », ce qui explique le lissage de certaines prises dont le manque d'adhérence peut surprendre. Site très ensoleillé.

Départ : continuer par la route des Gorges d'Apremont pendant 350 m ; elle est coupée par le sentier Bleu n° 6 que l'on suit vers la droite. Le départ se trouve sur une belle dalle qui borde le sentier.

Étrange rencontre dans une canche bellifontaine

• **Orange** *AD* − /*PD* + n° 4 : 26 numéros. Auteurs : A. Schlub. Exploite presque entièrement les blocs situés en bordure des carrières au nord-est du Désert d'Apremont. Varié et un peu inégal.

Départ : continuer par la route des Gorges d'Apremont ; prendre à droite la route du Clair Bois sur 150 m ; juste avant un virage à gauche suivre à droite une sente sur 150 m. Le départ est sur un gros bloc, à proximité, à gauche. Il sera sûrement rapproché de la route du Clair Bois.

• **Orange** *AD* + n° 5 : 24 numéros. Auteur : A. Schlub. Assez court mais varié et intéressant.

Départ : ne pas prendre la route des Gorges d'Apremont mais suivre le premier chemin à gauche jusqu'à la route du Chaos d'Apremont que l'on prend vers la gauche sur 100 mètres. Le départ se trouve sur un bloc, quelques mètres à gauche du chemin.

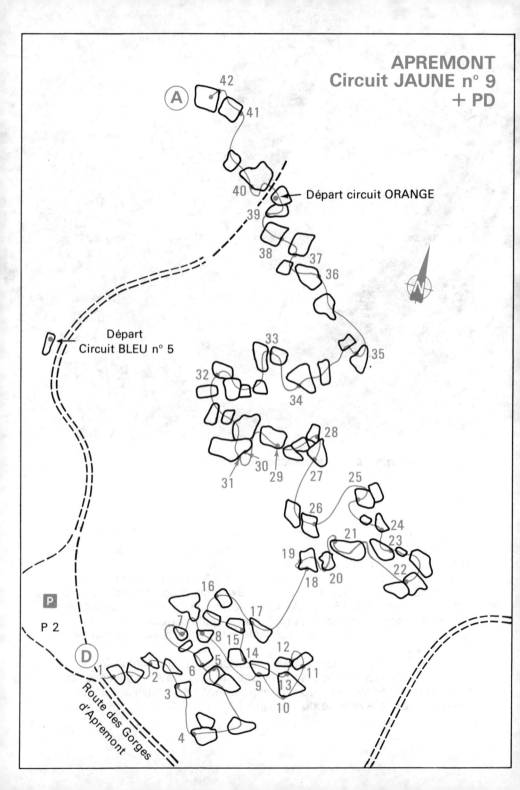

• Circuit jaune *PD* + n° 9

D'auteur inconnu, ce circuit a été modifié par Françoise et Jo Mont-chaussé et Jean-Claude Beauregard des A.A.F.F. C'est un circuit d'initiation avancée qui permettra au débutant d'entrer en contact avec les diverses techniques de l'escalade.

La partie centrale du circuit, située au fond d'un thalweg ombragé, ne sèche qu'assez lentement après la pluie.

ACCÈS AU CIRCUIT

Départ : en bordure de P 2.

COTATIONS

1	II		22	III −	
2	II		23	II	
3	II −		24	II +	
4	II −		25	II −	
5	II		26	II +	
6	II −		27	II +	
7	II		28	II	
8	III −		29	II −	
9	III +		30	III −	
10	II		31	II −	
11	II		32	II +	
12	II		33	II +	La droite du Robert
13	II		34	II +	
14	II +		35	II +	
15	III		36	II +	
16	II −		37	II +	
17	II +		38	II +	
18	II −		39	II −	
19	III −		40	III −	
20	III +		41	II +	
21	III −		42	III −	

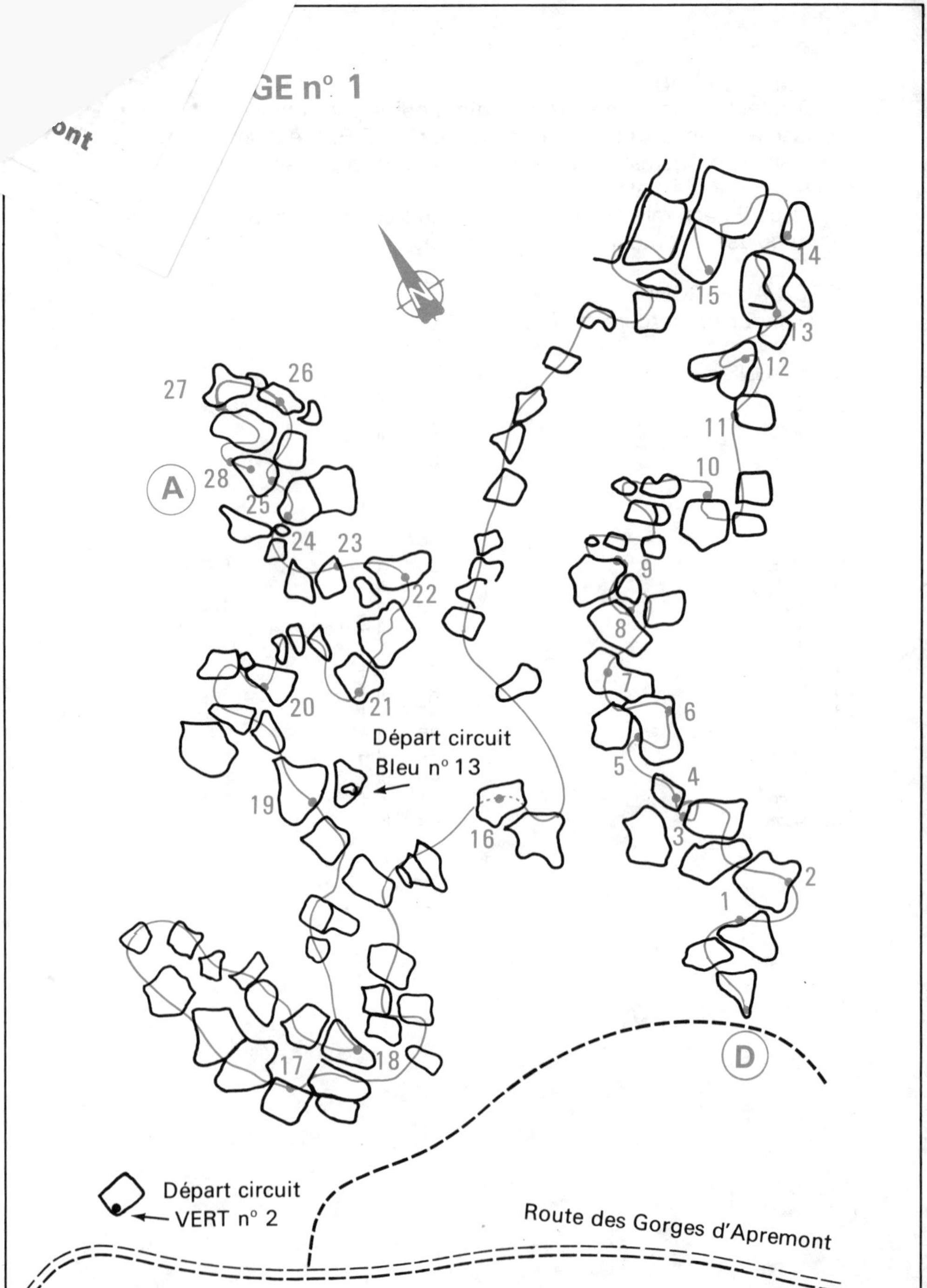

N

27 26

A

28 25

24 23

22

20 21

Départ circuit
Bleu n° 13

19

16

17 18

14

15

13

12

11

10

9

8

7

6

5

4

3

2

1

D

Départ circuit
← VERT n° 2

Route des Gorges d'Apremont

P2 à 170 m

● Circuit Orange *AD + n° 1*

En 1952, Pierre Mercier et plusieurs amis du C.A.F. décrivaient ainsi le circuit qu'ils venaient de tracer :

« Toutes les voies de ce circuit sont reliées entre elles par des rochers ou blocs de jonction afin de permettre d'effectuer le parcours sans poser les pieds à terre.

Le choix des voies a été déterminé par un souci d'enchaînement de l'escalade et de la visite des rochers les plus intéressants. Malgré le soin apporté à sa réalisation, de nombreux rochers dignes d'intérêt ont été volontairement omis pour ne pas embrouiller la piste. Ceux-ci, hors parcours, sont signalés par un rond rouge au pied des voies déjà parcourues.

L'escalade des voies du circuit est ordinairement réalisée sans l'aide de la corde. Cependant, quelques passages plus hauts et plus exposés peuvent nécessiter son emploi. Comptant une centaine de voies du deuxième au quatrième degré supérieur, le tracé "Rouge" (actuellement Orange) d'Apremont constitue un entraînement alpin indéniable. »

ACCÈS AU CIRCUIT

De P 2, suivre la route des Gorges d'Apremont sur 250 m vers l'est et prendre un sentier en oblique à gauche qui conduit en 40 m au bloc de départ.

COTATIONS

D	IV −	La goutte d'or	15b	IV +		
1	III +	La dent creuse	16	I −	Le magasin de boutons	
2	IV −		17	III +	Le foie gras	
3	III	Les champignons	17b	IV		
4	III	L'amateur d'abîmes	18	IV	L'épine dorsale	
5	III	Le repoussoir	19	II	Les verrues	
6	III	Le chemin de ronde	19b	II +		
7	IV	La tuyauterie	20	IV	Le paquet	
8	III −	La dalle en pente	21	III +	L'escalier dérobé	
9	III	La croupe de cheval	22	III −	Le jardin botanique	
10	IV +	La grande allonge	22b	III −		
11	III −	La dorade	23	II	La main leste	
12	III +	Le court-circuit	24	III	Le magasin de porcelaines	
12b	III +		25	III +	Le regard en arrière	
13	III	Les montagnes russes	26	IV +	Le surplomb du Bleu	
14	III	Le martyre de l'obèse	27	III +	L'inventaire	
15	IV −	Les genoux cagneux	28	III	Le solde après inventaire	

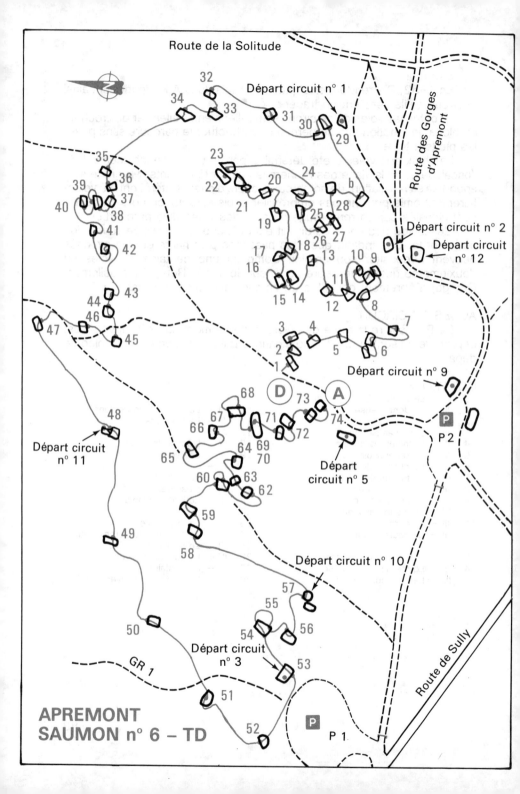

• Circuit Orange *TD* − /TD n° 6, *« dit Saumon »*

Ce circuit a été tracé par Jacques Reppelin et Pierre Porta. Long et assez soutenu, il relie entre eux de magnifiques passages dispersés sur le flanc sud des Gorges d'Apremont. L'escalade, toujours très technique, y est variée, souvent peu exposée avec néanmoins quelques exceptions remarquables (n° 24, dit « la Balafre », et les 48 et 56). Ce très grand circuit classique a déja été parcouru en 45 minutes.

ACCÈS AU CIRCUIT

De P 2, suivre un chemin vers le nord sur 130 mètres ; le départ se trouve sur une belle dalle située sur le bord droit du sentier.

COTATIONS

1	V +		26	V		51	IV+
2	IV −		27	V−		52	IV
3	IV −		28	IV+		53	IV
4	VI −		28b	V+		54	IV−
5	III +		29	V		55	V−
6	IV +		30	V		56	V−
7	V		31	IV+		57	IV+
8	V		32	IV−		58	IV
9	V +		33	V+		59	IV+
10	IV +		34	III+		60	IV
11	V		35	IV−		61	V
12	IV −		36	IV		62	IV
13	IV +		37	V		63	IV
14	IV +		38	IV+		64	IV+
14b	V +		39	IV−		65	V
15	V		40	IV−		66	V+
16	IV −		41	IV		67	V
17	V		42	IV−		68	IV+
18	IV +		43	V+		69	IV+
19	V −		44	V−		70	IV+
20	VI −		45	IV		71	V
21	V −		46	III+		72	V
22	V		47	V+		73	IV
23	V −		48	V+		74	V−
24	V + La balafre		49	IV+			
25	VI −		50	IV−			

N.B. Les blocs ne sont pas à l'échelle sur la carte.

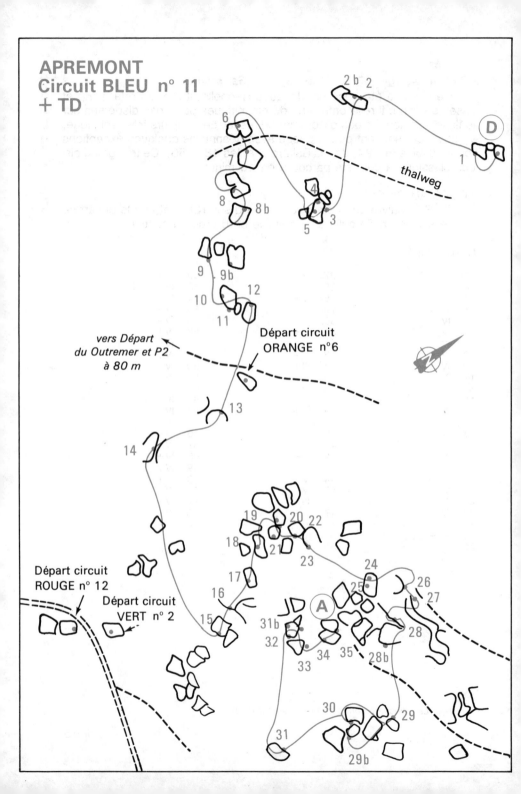

• **Circuit Bleu clair** *ED — / TD +* **n° 11,** *dit « circuit fissures »*

Ce circuit original et très intéressant a été tracé par Robert Mizrahi, qui le présente ainsi : « L'escalade en fissure est un genre peu développé à Bleau : ce circuit a pour but de la mettre en valeur. Les techniques de coincement, de cheminée ou de Dülfer devront être mises en œuvre pour son parcours. En fait, l'apprentissage de l'escalade en fissure est une éducation du regard avant d'être un enrichissement d'un registre gestuel, et c'est cette optique qui a présidé à l'élaboration de ce circuit. Du parti pris d'homogénéité pour ce qui concerne le type d'escalade découle un éventail relativement large de cotations. On peut coter ce circuit *TD+* très athlétique. »

Ajoutons simplement que l'on y trouve aussi quelques dalles de très haut niveau et un toit dit « tranquille » aux coincements acrobatiques.

ACCÈS AU CIRCUIT

Le départ, qui se trouve sur la rive droite d'un petit vallon au sud de la Caverne des Brigands, est assez difficile à trouver. Le plus simple semble être de suivre le circuit Bleu D n° 5, que l'on rejoint facilement de P 2 et qui constitue un intéressant échauffement, jusqu'à un très haut rocher caractéristique (n° 37 du circuit Bleu) sur lequel se trouvent les numéros 1 du circuit Bleu clair et 48 du circuit Orange. Le départ du circuit Bleu clair se trouve en face de ce n° 48.

COTATIONS

D	V +	Le croquemitaine		19	V −	La vessie
1	V +	L'esprit du continent		20	IV +	La lanterne
2	V +	Le poulpiquet		21	V	Le pont Mirabeau
2b	VI +	Le poulpe		22	V	La super Simca
3	V −	L'anti-gros		23	VI −	Ignis
4	IV	L'effet yau de Poêle		24	V +	La salamandre
5	IV −	La bagatelle		25	V +	La vie lente
6	VII −	Le toit tranquille		26	V +	La muse hermétique
7	V +	Le gibbon		27	V +	L'angle obtus
8	VI −	L'empire des sens		28	V	Icare
8b	IV +			28b	V +	
9	V	La pavane		29	V	Le merle noir
9b	VI	L'adrénaline		29b	V −	L'adieu aux armes
10	IV +	Le sabre		30	V	La gnôse
11	IV +	Le goupillon		31	V −	La clepsydre
12	VI +	Le mur des lamentations		31b	V −	Surplomb de l'avocat
13	V	Le rince-dalle		32	V +	La mélodie juste
14	V +	L'ostéthoscope		32b	VI +	Le soupir
15	V +	Les fesses à Simon		33	V	Le piano vache
16	V	La michodière		34	V +	Le surplomb à coulisse
17	IV +	L'across en l'air		35	VI −	La sortie des artistes
18	V	L'astrolabe				

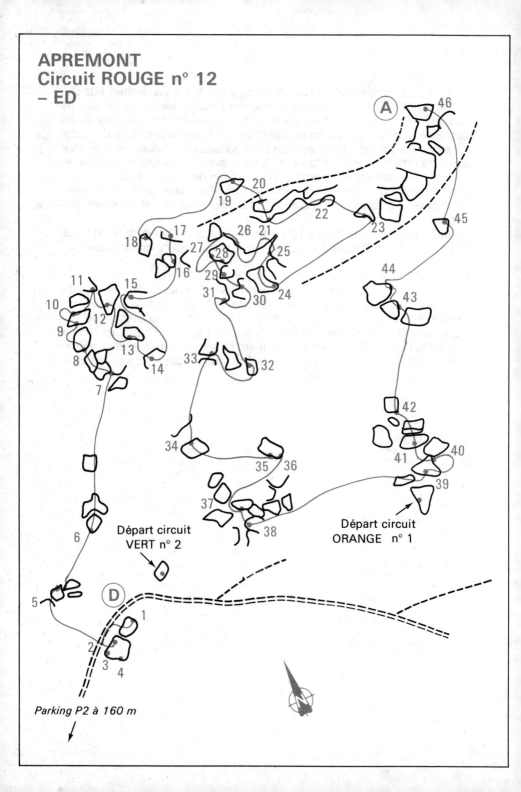

• Circuit Rouge *ED* – n° 12

Ce beau circuit de style bleausard tracé en 1979 par Lucien Guilloux et Jo Montchaussé remplace l'ancien circuit Blanc tracé par Jacques Reppelin. Il est long, varié, athlétique et technique. Comme tout le versant sud d'Apremont, il sèche vite après la pluie. Les grimpeurs de petite taille devront se méfier de certaines voies assez exposées.

ACCÈS AU CIRCUIT

De P2, suivre la route des Gorges d'Apremont vers l'est sur 150 m. Le départ se trouve sur un gros bloc qui borde le chemin à droite.

COTATIONS

1	V +	Départ	24	VI		Les verrues
2	V	La sans l'arête	25	V −		Le réta gras
3	V −	Les trois petits tours	26	V		La claque
4	VI −	Le piano à queue	27	V −		Le pilier
5	V −	La traversée de la fosse aux ours	28	VI −		La conque
6	V +	Le trompe-l'œil	29	V +		L'ancien
7	VI −	Les crampes à mémère	30	V		La valse
8	V	Le triste portique	31	V +		La que faire ?
9	V	Le toboggan	32	VI		La psycho
10	V	Le vieil os	33	V +		Le doigté
11	VI −	Les yeux	34	V +		La science friction
12	V −	Le château de sable	35	V +		Le pilier japonais
13	V +	La Durandal	36	VI −		La Ko-Kutsu
14	V +	La rampe	37	V +		Le médius
15	V +	Le marchepied	38	V +		La râpe grasse
16	V	La longue marche	39	VI −		L'anglomaniaque
17	V +	Le bouleau	40	V +		Le grand pilier
18	V	Le bonheur des dames	41	VI −		L'arrache-bourse
19	V	La freudienne	42	V +		L'alternative
20	V −	Le coin pipi	43	V −		La dalle à dames
21	V −	L'angulaire	44	IV +		Le cube
22	V	Le baiser vertical	45	V		La Croix
23	V	Le dièdre gris	46	V		La John Gill

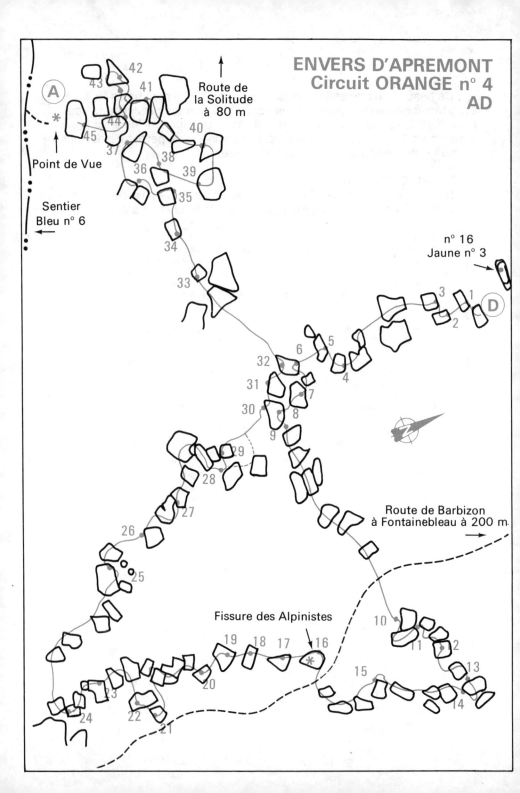

ENVERS D'APREMONT
Circuit ORANGE n° 4
AD

Route de
la Solitude
à 80 m

Point de Vue

Sentier
Bleu n° 6

n° 16
Jaune n° 3

Route de Barbizon
à Fontainebleau à 200 m

Fissure des Alpinistes

• Circuit Orange *AD* n° 4

Ce circuit a été tracé par l'U.S.I. (F.S.G.T.) dans un cadre forestier très tranquille. Il est assez original, très intéressant, parfois délicat. Son n° 16 se trouve sur le bloc de la célèbre « fissure des alpinistes » ouverte par Pierre Allain en 1934, classique de haute difficulté d'avant-guerre. Du rocher de l'arrivée, on découvre un superbe paysage mentionné sur la carte du sentier Bleu n° 6 et situé à 80 m à l'est de la route de la Solitude.

Retour : suivre le sentier Bleu précité vers l'ouest puis la route de la Solitude vers le nord (T.M.F. et GR 1) qui ramène au carrefour Félix-Herbet.

ACCÈS AU CIRCUIT

Le départ se trouve 20 m au sud du bloc n° 16 du circuit Jaune n° 3, que l'on peut emprunter pour le rejoindre. Autre possibilité : de P 3, suivre la route de Barbizon à Fontainebleau vers l'est sur 850 m ; prendre alors un sentier vers le sud. 200 m plus loin, il croise le circuit Jaune. Emprunter alors une petite sente qui monte en oblique à droite et qui conduit au départ en 50 m environ.

COTATIONS

1	II +		24	III +
2	II +		25	III −
3	III −		26	IV
4	II −		27	III +
5	III +		28	III
6	II −		29	II +
7	IV −		30	III
8	II +		31	III
9	III −	(Descente : IV −)	32	III −
10	III −		33	III −
11	II +		34	II −
12	II +		35	III
13	II +		36	III −
14	IV		37	II −
15	II −		38	III −
16	II +		39	III +
17	IV		40	IV −
18	III −		41	III +
19	II		42	III −
20	III		43	IV
21	III −		44	III +
22	III −		45	III −
23	III			

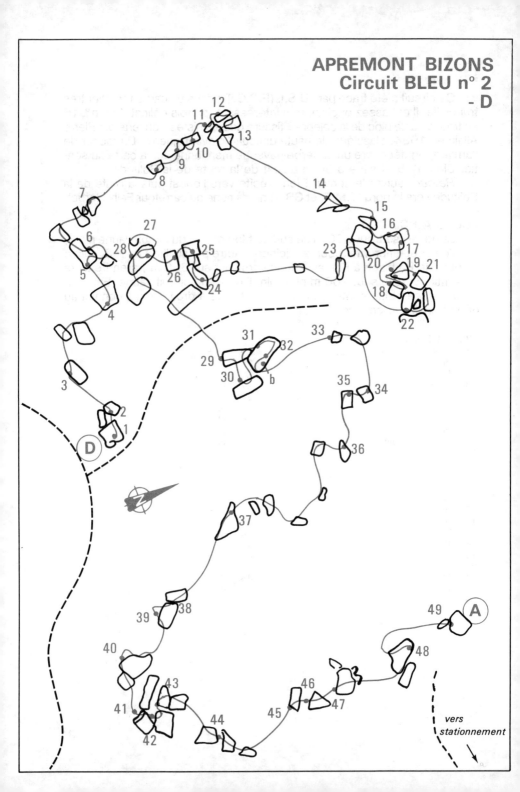

APREMONT BIZONS
Circuit BLEU n° 2
- D

• Circuit Bleu *D*— n° 2

Ce circuit, tracé en 1973 par Pierre Manuel dans une zone très calme de la forêt est, à tort, peu fréquenté. Il est de difficulté moyenne et parfois athlétique. Certains beaux passages aériens, aux chutes peu rassurantes, nécessitent une parade pour des grimpeurs non confirmés.

ACCÈS AU CIRCUIT

De P 6, continuer la route de Marie-Thérèse vers le sud sur 150 m environ jusqu'à la jonction avec la route du Dormoir (sur la gauche). Quelques dizaines de mètres plus loin, prendre un sentier en oblique à droite (sud-ouest) et le suivre sur 100 m environ. Le départ se trouve sur un gros bloc à proximité à droite.

Retour : une petite sente qui s'amorce derrière le bloc d'arrivée en direction du nord-est, conduit en 150 m à la route de Marie-Thérèse.

COTATIONS

1	IV −		26	II
2	III +		27	IV
3	IV +		28	IV +
4	IV		29	III/V
5	III +		30	III −
6	IV −		31	IV −
7	III −		32	IV −
8	III +		32b	V
9	IV −		33	V −
10	IV −		34	IV
11	III		35	III +
12	III −		36	III +
13	III		37	II +
14	III +		38	III
15	III		39	IV −
16	IV		40	III −
17	IV		41	III +
18	IV +		42	III
19	V −		43	III
20	IV		44	II
21	III		45	IV −
22	IV +		46	III +
23	II +		47	IV −
24	III		48	IV +
25	III +		49	IV

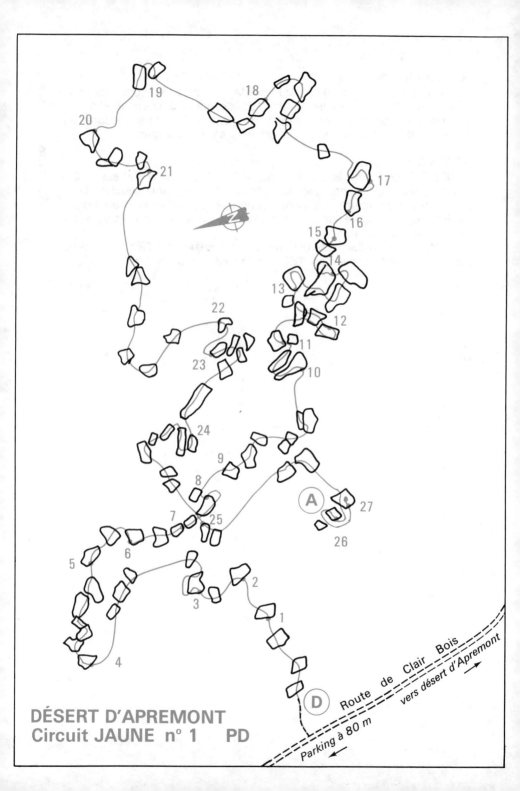

DÉSERT D'APREMONT
Circuit JAUNE n° 1   PD

● Circuit Jaune *PD* + n° 1

Ce circuit, initialement tracé par A. Schlub, a été modifié par Jean-Claude Beauregard des A.A.F.F. C'est un très beau circuit de découverte, de longueur moyenne, peu exposé et soutenu. Sa variété permet d'y trouver tous les types de mouvements d'escalade.

Situés dans une zone à bruyère et à végétation éparse, les blocs sèchent rapidement après la pluie contrairement au sol, qui reste longtemps humide.

ACCÈS AU CIRCUIT

De P7, suivre la route de Gustave vers l'ouest (route de droite). Continuer par la route des Druides qui devient un sentier pour descendre un petit vallon et qui rejoint la route des Gorges d'Apremont au début de la « plaine » du Désert. Prendre à droite la route du Clair Bois sur 400 m, le départ se situe en bordure droite du chemin.

COTATIONS

1	II	Le genou polytechnique	14	II +	Le chaos
2	II	L'ancien départ	15	II −	Le 1er dynamique
3	III −	La belle arête et sa descente	16	III −	Le nouveau
4	II	La Dudule	17	III	Le coincement
5	II +	La dalle	18	II	La promenade
6	III −	La spirale	19	III	La bleausarde
7	II +	La proue	20	II	L'ultra-secrète
8	III −	La poupe	21	II +	Le dolmen
9	II	L'intermédiaire	22	III −	Le 1er monolithe
10	II +	La découverte	23	III −	Le 2e monolithe
11	II +	L'aérienne (cheminée)	24	II +	Le pas de 2
12	III	L'interminable	25	I	Le pas de 1
13	II	La giratoire	26	III −	Le pas de 3
			27	IV −	L'arrivée à l'envers

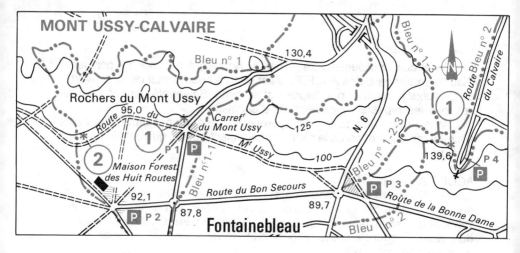

Bleu n° 1
130,4
Rochers du Mont Ussy
Route du 95,0
Carref'
du Mont Ussy
125
N. 6
Bleu n° 1-2-3
Bleu n° 1-3
Route Bleu n° 2
du Calvaire
1
P 1
P
M' Ussy
100
139,6
P 4
P
2
Maison Forest'
des Huit Routes
Bleu n° 1-1
P 3
92,1
Route du Bon Secours
89,7
Route de la Bonne Dame
P P 2
87,8
Fontainebleau
Bleu n° 2

CALVAIRE/MONT USSY

Les trois circuits exploitent les blocs et remparts situés juste au nord de Fontainebleau. Tracés dans une zone forestière dense, ils restent long-temps humides.

ACCÈS AU MASSIF

En voiture : pour le Calvaire : à gauche de la piscine, à proximité de la gare, suivre la route de la Reine Amélie jusqu'à la Croix du Calvaire. Sta-tionnement P4. Pour le Mont Ussy : de Fontainebleau, rejoindre le carre-four du Mont Ussy (P1) par la D 116 en direction de Fontaine-le-Port (500 m).

A pied : de la gare de Fontainebleau, suivre la route de la Bonne Dame. Pour le Calvaire, prendre le sentier Bleu n° 2 à droite ; pour le Mont Ussy, continuer par la route du Mont Ussy (2 km).

LES CIRCUITS
CALVAIRE

• **Orange *AD + / AD* n° 1** : 33 numéros. Auteurs : créé par Robert Christe et complété par Jean-Claude Beauregard et Pierre Jourdain des A.A.F.F. Très intéressant avec de beaux passages techniques qui sont parfois exposés.

Départ : de la Croix du Calvaire, suivre le sentier Bleu n° 2 vers le nord-ouest sur 100 m. Le départ se trouve en bordure du sentier.

Quelques mètres à l'est du départ du circuit se trouve le « Calvaire des Bras » un surplomb d'une avancée considérable, dont les diverses voies, bien protégées par ce « parapluie », restent sèches fort longtemps même en cas de très grosse pluie ; elles permettent un entraînement athlétique de qualité.

Sur la crête nord de Franchard. ▶

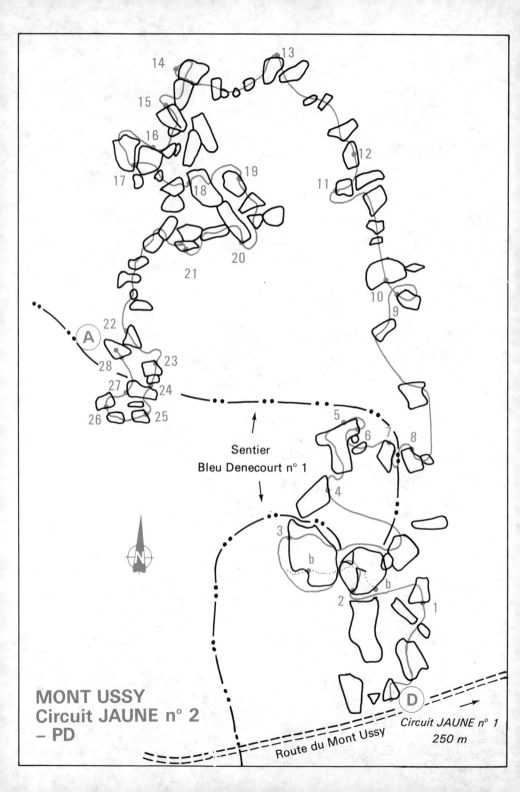

MONT USSY
Circuit JAUNE n° 2
– PD

Sentier
Bleu Denecourt n° 1

Circuit JAUNE n° 1
250 m

Route du Mont Ussy

MONT USSY

- **Jaune *PD +/PD* n° 1** : 50 numéros. Auteur : Jean Moley en 1963. Tracé initialement pour les lycéens, ce circuit est intéressant et parfois exposé.

  Départ : au carrefour du Mont Ussy.

  Hors circuit, le Rocher de l'Hercule, à l'est du carrefour, offre quelques beaux passages athlétiques.

- **Jaune *PD* — n° 2**

  Auteurs : Frédéric Dulphy et Laurent Maine. Il exploite à fond le chaos tranquille au niveau de la grotte des Montussiennes. Petits blocs peu exposés, excellent circuit d'initiation à proximité de Fontainebleau.

ACCÈS AU CIRCUIT

Du carrefour du Mont Ussy, suivre la route du Mont Ussy vers l'ouest sur 400 m. Le départ se trouve à droite immédiatement avant le croisement avec le sentier Bleu n° 1.

COTATIONS

1	I +	La dalle au trou	13	II −	La balade
1b	III −	La ramoneuse	14	II −	Le sandwich
2	II −	La montée des pieds	14b	III −	L'expo
2b	II +	Le dièdre des Montussiennes	15	II −	Le casse-tête
3	II	La cuvette	16	II +	La niche
3b	III +	La pessimiste	17	II	Les mains en l'air
4	II	La traversée bleue	18	II −	La simplissime
5	II −	la grande patte	19	II	Les pieds
6	II +	La directos	20	II +	Les deux doigts
7	II	La bonarde	21	II +	Le grand muret
8	II	Le tire-bras	22	II	La sans nom
8b	III	Le petit surplomb	22b	III +	Le surplomb des gros bras
8t	II +	La pousse pied	23	II	La mamelonnée
9	II	Le petit réta	24	II	Le Denecourt
10	II	Le dièdre jaune	25	II −	La dalle aux grattons
11	II −	Le toboggan	26	II +	Le dernier des Mohicans
12	II	Le mur aux fougères	27	II	La mal placée
12b	II −	Le pilier Gigi	28	II −	Bof

N.B. Belles voies repérées par des triangles bleu clair.

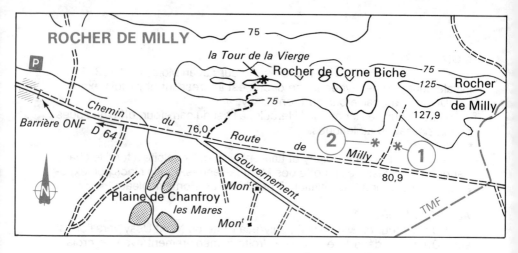

ROCHER DE MILLY

Ce massif est situé dans une région agréable et calme, à l'extrémité nord-est de la plaine de Chanfroy.

ACCÈS AU MASSIF

En voiture : de l'autoroute A 6, sortir en direction de Fontainebleau ; 4 km plus loin, prendre la direction de Fleury-en-Bière (D 50), que l'on traverse, puis celle d'Arbonne, où l'on rejoint la D 409 (Milly-Fontainebleau). Prendre alors la D 64 direction Achères et tourner à gauche (est) 1 km plus loin. Une mauvaise route forestière conduit à un parking à proximité de la barrière O.N.F. (Indication : Monument des Fusillés).

A pied : de Fontainebleau, suivre le GR 11 vers l'ouest. Après 6 km, le quitter pour suivre le T.M.F. vers le sud jusqu'à la route de Milly, que l'on suit vers la droite (ouest) sur 200 m jusqu'au bornage, ancienne limite de la forêt domaniale.

LES CIRCUITS

• **Jaune *F* + n° 2 :** 27 numéros + 2 *bis.* Ce circuit a été tracé sur une croupe bien dégagée, par l'U.S.I. (F.S.G.T.). C'est un excellent parcours d'initiation qui sèche rapidement, court, technique et parfois exposé.

Départ : du parking, suivre le chemin de la plaine de Chanfroy jusqu'à l'ancienne limite de la forêt domaniale (bornage). Suivre le sentier du bornage vers le nord sur 70 m jusqu'à une sente à gauche, rejoindre le départ en 40 m.

• **Bleu *D* + n° 1 :** *cf.* page 103.

Le temps du ski de fond. ▶

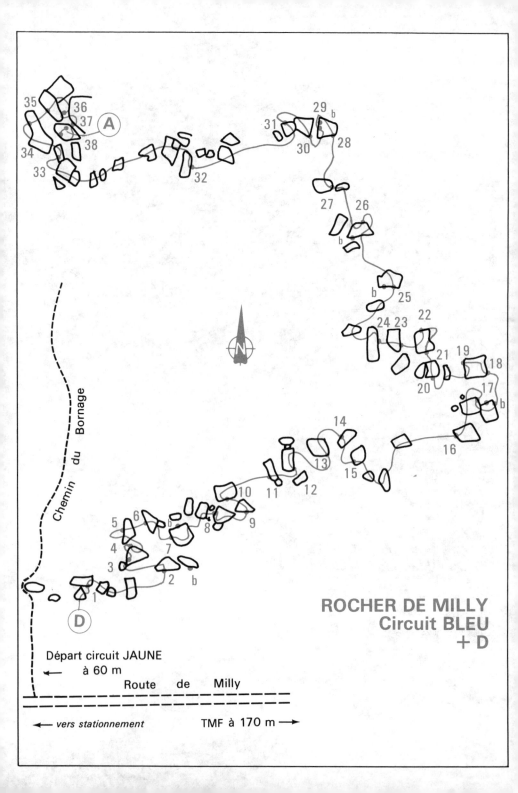

ROCHER DE MILLY
Circuit BLEU
+ D

• Circuit Bleu *D + n° 1*

Tracé par Monique Fédoroff et MM. Fédoroff, Laloup, Nédélec et Schwartz dans une zone plus touffue que celle du circuit Jaune, le circuit Bleu relie entre eux les blocs intéressants mais dispersés du flanc sud du Rocher de Milly. De difficulté inégale, très technique et peu athlétique, ce circuit est toujours peu exposé, sauf le n° 28, dont le rétablissement de sortie, souvent lichéneux, a laissé des souvenirs durables à de nombreux grimpeurs.

ACCÈS AU CIRCUIT

Du parking, suivre le chemin de la plaine de Chanfroy jusqu'à l'ancienne limite de la forêt domaniale (bornage). Suivre le sentier du bornage vers le nord sur 70 m. On rejoint alors le départ du circuit en une vingtaine de mètres sur la droite par une sente parfois peu visible à cause des fougères.

COTATIONS

1	IV		20	IV
2	V −		21	IV
2b	IV +		22	IV −
3	IV −		23	IV −
4	IV		24	IV
5	IV		25	IV +
6	III +		25b	V
7	IV +		26	IV −
7b	IV −		26b	V
8	IV		27	IV +
9	III +		28	IV
10	III +		29	VI −
11	V −		29b	VI −
12	IV +		30	V −
13	IV +		31	IV +
14	IV −		32	V
15	IV		33	V
16	II		34	IV
17	V −		35	IV
17b	IV +		36	IV
17t	V +		37	IV
18	IV		38	IV +
19	IV −			

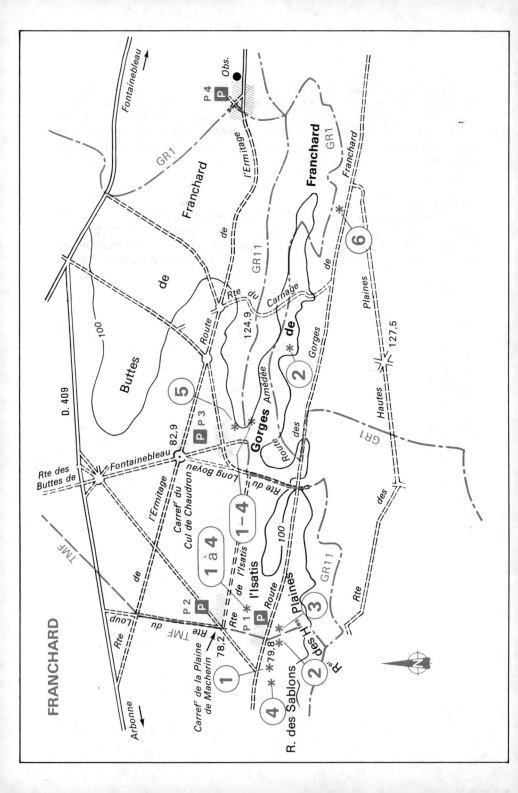

◄**12**. L'escalade : un jeu d'enfants - *massif de l'Eléphant.*

13. Diagonale : "le mur à Jacques" - *la Padôle*. **14**. Le souffle du printemps jette un voile de pollen... près de la mare aux Evées.

15. Symbiose du paysage et du geste au 91,1 - *Trois Pignons*. **16.** Exposition maxima au Puiselet.

FRANCHARD

La tradition des grimpeurs a divisé ce massif en trois groupes. D'ouest en est, on distingue Franchard Hautes Plaines et Sablons, Franchard Isatis et Franchard Cuisinière.

Les circuits visitent de très beaux blocs situés dans un milieu forestier varié et toujours magnifique. Les rochers sèchent rapidement à l'Isatis mais plus lentement à la Cuisinière et aux Hautes Plaines (Sablons s'abstenir !).

ACCÈS AU MASSIF

En voiture : pour Franchard Cuisinière : quitter l'autoroute A 6 en direction de Fontainebleau. 4 km plus loin, prendre la direction de Fleury-en-Bière (D 50), que l'on traverse, puis celle d'Arbonne, où l'on rejoint la D 409. La prendre à gauche en direction de Fontainebleau. 1 km après le panneau « Forêt Domaniale » placé à 2 km d'Arbonne, tourner à droite (sud) et suivre la route des Buttes de Fontainebleau sur 700 m jusqu'au parking de la Cuisinière, situé au croisement avec la route du Renardeau (P3).

Pour Franchard Isatis et Hautes Plaines : immédiatement après le panneau « Forêt Domaniale », prendre en oblique à droite la route de l'Ermitage. 300 m plus loin, tourner à droite sur la route du Loup qui conduit au parking du carrefour de la plaine de Macherin (400 m) (P2).

A pied : de la gare de Fontainebleau, en 6 km, le GR 11 conduit à la Cuisinière. De là, on peut rejoindre P2 par la route de l'Isatis en 700 m.

LES CIRCUITS

FRANCHARD HAUTES PLAINES ET SABLONS

• Jaune *PD* — n° 2 : 17 numéros. Peu soutenu et inégal.

Départ : de P2, suivre la route du Loup vers le sud (T.M.F.). Le départ est à droite du T.M.F., quelques mètres après la route des Gorges de Franchard.

• Jaune *PD* + n° 3 : *cf.* page 115.

• Rouge *D* n° 4 : 53 numéros. Auteur : C.A.F. Orléans. Parfois inégal et toujours lichéneux, il sera prochainement modifié (1986).

Départ : de P2, suivre la route du Cul de Chaudron, vers le sud-ouest qui se transforme en sente après la route des Gorges de Franchard. Départ le long de cette sente à 50 m environ.

• Orange *TD* n° 1 : 41 numéros. Auteur : Gérard Clément, du R.S.C.M. Très athlétique et intéressant, il sèche malheureusement très lentement, ce qui explique sa faible fréquentation. La dalle n° 27 directe est de difficulté assez exceptionnelle. Il sera prochainement modifié (1986).

Départ : de P2, suivre la route du Cul de Chaudron puis prendre la route des Gorges de Franchard sur la gauche (est) sur 40 m. Une petite sente plein sud y conduit en 20 m.

FRANCHARD ISATIS (*cf.* bibliographie)

• **Jaune** *PD* n° 4 : 15 numéros. Circuit d'initiation, un peu court.

Départ : du coin sud-est de P2, prendre un petit sentier qui conduit aux premiers blocs en 50 m.

• **Bleu** *D* — n° 2 : *cf.* page 112.

• **Rouge** *TD / TD* — n° 1 : 66 numéros + 9 *bis*. Ce circuit tracé en 1960 par Jacques Batkin, Pierre Nédélec et André Schwartz et complété par Jacky Guinot en 1980 est un grand classique de Bleau. Il est long, un peu inégal, varié et très technique.

Départ : sur le même bloc que celui du Bleu n° 2, *cf.* page 112.

• **Blanc** *ED / TD* + n° 3 : 55 numéros + 22 *bis*. Ce circuit, tracé initialement en Saumon par Jacques Reppelin, a été complété et peint en Blanc par Antoine Melchior, du G.U.M.S. C'est un très beau parcours, varié, technique, peu exposé en général, il comprend de nombreux passages sur grattons. Il est *TD* + sans les numéros *bis, ED* avec les variantes dont certaines sont parmi les plus difficiles de Fontainebleau.

Départ : *cf.* circuit Jaune n° 4.

FRANCHARD CUISINIÈRE

• **Orange** *F* + n° 3 : *cf.* page 107.

• **Orange** *AD* n° 1 : 18 numéros. Auteur : Pierre Bontemps, du C.A.F. Circuit de longueur moyenne, intéressant, avec un rocher adhérent même mouillé. Passage test : l'équerre n° 10 (IV).

Départ : de P3, continuer la route d'arrivée vers le sud. A 150 m, on croise le GR 11, que l'on prend vers la droite sur 80 m environ. Le départ se trouve derrière le gros bloc du départ du Rouge n° 4 longé par le GR.

• **Rouge** *TD* — / *D* + n° 4 : 30 numéros + 3 *bis*. Auteurs : Monique Fédoroff, Pierre Nédélec, André Schwartz. Escalade extérieure, athlétique et délicate.

Départ : *cf.* Orange n° 1.

• **Rouge** *D* + n° 2 : *cf.* page 109.

• **Noir/Blanc** *TD* n° 6 : 123 numéros. Très long et inégal, rarement parcouru. Il exploite les parties est des crêtes sud et nord de Franchard.

Départ : de P3, continuer la route d'arrivée vers le sud. Rejoindre la route Amédée, que l'on suit vers l'est, prendre à droite la route du Carnage (900 m de P1) qui rejoint la route des Gorges de Franchard, que l'on suit vers l'est sur 400 m. Le départ se trouve sur un gros bloc à 20 m environ au nord de la route et à 40 m avant la route Raymond. Possibilité d'un accès plus court de la maison forestière de Franchard. Très effacé.

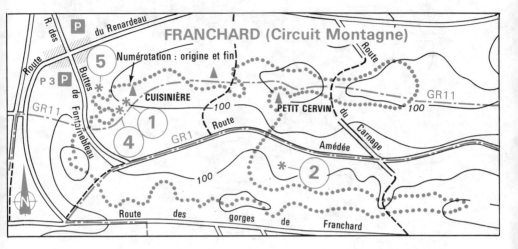

FRANCHARD (Circuit Montagne)

Seule la partie sud, qui comporte une cinquantaine de numéros, sera entretenue.

- Blanc *ED* — n° 5 : *cf.* page 111.
- Circuit Orange *F* + n° 3 **dit « parcours montagne de Franchard ».**

« Tracé à l'automne 1960 par un groupe du C.A.F. animé par Jacques Meynieu. Initialement de couleur rouge, la "cerise du débutant", a vu son tracé modifié sur des points de détail.

« Dans leur majorité, ces modifications remontent à quelques années et ont été introduites dans le parcours lorsqu'une partie importante de celui-ci fut repeinte en couleur orange. Des numéros de repérage ont été peints pour éviter de sauter certains secteurs.

« Ces numéros (de 0 à 75) ne désignent pas des rochers remarquables ou plus difficiles ; ils ont simplement pour but de faciliter le parcours. Il faut préciser qu'ils sont plus rapprochés dans les secteurs où deux parties du parcours sont voisines l'une de l'autre sans pour autant se rejoindre et que le sens de la numérotation a été établi arbitrairement dans le sens inverse des aiguilles d'une montre, ce qui n'implique nullement l'obligation de faire ce parcours ainsi. Il est intégralement réversible.

« Précisons encore que la distance à parcourir en escalade facile (quelques passages dépassent le II) est de l'ordre de 6 km et que le parcours total, sans "tricher" et sans arrêts, représente un test d'entraînement physique indéniable, utilisé d'ailleurs par les bons grimpeurs qui ne dédaignent pas y faire un temps. »

ACCÈS AU CIRCUIT

De P3, continuer par le chemin d'arrivée vers le sud sur 150 m. On croise alors le circuit.

Franchard Cuisinière

107

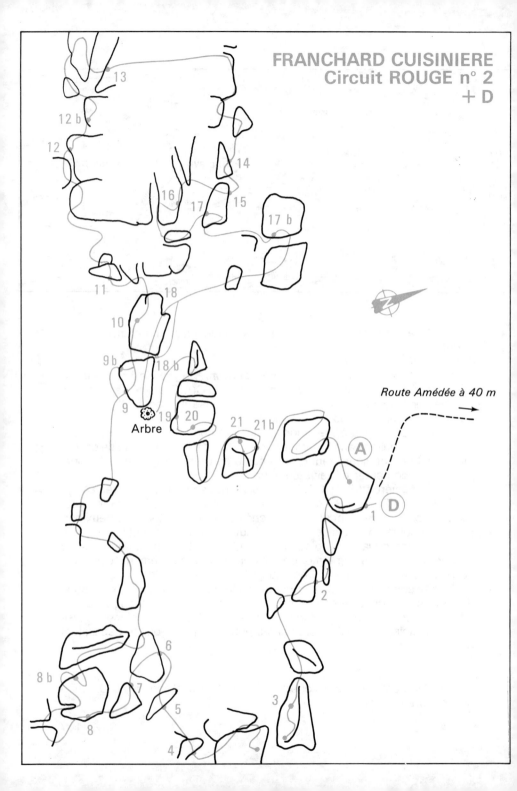

FRANCHARD CUISINIERE
Circuit ROUGE n° 2
+ D

- **Circuit Rouge _D_ + n° 2 _dit « Pascal Meyer »_**

Ce très beau circuit, tracé en 1960, par Pascal Meyer, du R.S.C.M., exploite un chaos de gros bloc situé sur le flanc nord et le sommet de la crête sud de Franchard, où il croise à plusieurs reprises le parcours montagne.

C'est un circuit technique, varié (dalles, fissures, dièdres,...). Les rochers, en général assez hauts, sont souvent recouverts d'une fine pellicule de lichen peu gênante pour la varappe, mais donnant l'impression d'être à la limite de l'adhérence. L'exposition des passages en fait un bon circuit d'entraînement aux escalades de moyenne difficulté en montagne.

ACCÈS AU CIRCUIT

De P3, continuer la route des Buttes de Fontainebleau (sud) (croisée par le GR 11) jusqu'à la route Amédée (GR 1), que l'on suit vers l'est. Dépasser le carrefour avec la route des Buttes de Franchard. Du premier virage à gauche (150 m du carrefour, 700 m du parking). Repérer 15 m plus loin, un rocher plat en bordure du chemin, prendre la sente qui en part vers la droite (sud) ; le départ du circuit se situe à une soixantaine de mètres.

COTATIONS

1	IV +		12b	V −
2	III +		13	IV
3	IV		14	V −
4	III		15	IV +
5	IV		16	IV
6	IV		17	IV
7	V −		17b	IV
8	IV +		18	IV +
8b	IV		18b	IV +
9	IV −		19	IV +
9b	VI −		20	IV
10	IV −		21	IV
11	V −		21b	V −
12	IV			

N.B. : Quelques voies de haut niveau dans le secteur.

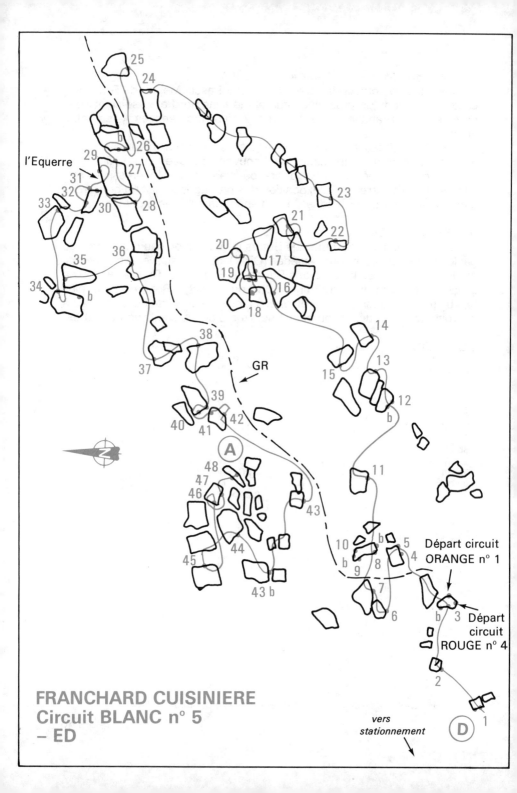

l'Equerre

GR

**FRANCHARD CUISINIERE
Circuit BLANC n° 5
– ED**

Départ circuit
ORANGE n° 1

Départ
circuit
ROUGE n° 4

vers
stationnement

- **Circuit Blanc** *ED* — n° 5

Ce circuit tracé par Patrick Cordier, et un peu modifié par Pierre Bouil-loux, est un des plus beaux circuits de la forêt. On y trouve de magnifiques passages exposés sur de grands blocs, souvent durs pour les doigts.

L'escalade, variée, est plutôt extérieure. La fin du circuit, située au nord, est de ce fait un peu lichéneuse. Elle sèche lentement ; c'est pourquoi cette partie du circuit est, à tort, peu fréquentée.

ACCÈS AU CIRCUIT

De P3, une sente vers le sud-est conduit en une centaine de mètres au premier gros bloc. Le départ se situe sur une grande face triangulaire regardant le parking.

COTATIONS

1	V +		25	V +	
1b	V +		26	V −	
2	IV		26b	V	
3	IV +		27	VI −	
3b	V −		28	V	
4	V	Le hareng saur	29	V +	
5	V +		29b	V −	
5b	VI +		30	V +	
6	VI −		30b	VI −	
7	IV		31	V +	
8	V		32	IV +	
8b	VI −		33	IV	
9	V		34	V +	
10	VI		34b	VI +	/VII−
10b	VI +		35	V +	
11	V +		35b	IV	
12	IV +		36	VI	
12b	IV		37	V	
13	V −		38	VI	
14	IV +		39	V	
15	V +		40	V +	
16	V		41	V +	
17	V +		42	V +	
18	IV		43	VI	
19	V +		43b	V +	
20	V +		43t	VI	
21	V		44	V +	
21b	V +		44b	IV	
22	V −		45	IV +	
23	V −		46	V +	
24	V +		47	VI −	
			48	VI	

Ce circuit, très classique, a été tracé en 1955 par Lucien Hinselin et Pierre Nédélec, du G.U.M.S. Assez long, il est technique, varié, peu exposé et, comme les autres circuits de l'Isatis, il comporte quelques courtes sections de marche entre les groupes de rochers. Le sol est terreux et très gras après la pluie (tapis utile), mais les blocs sèchent assez vite.

ACCÈS AU CIRCUIT

Du coin sud-est du parking P2 prendre un petit sentier qui, en 50 m, conduit aux premiers blocs. Le départ du circuit se trouve à quelques mètres, à droite de l'arrivée du sentier.

COTATIONS

1	III −		8	III −
2	III +		9	IV +
3	III +		9b	III −
4	IV −		10	IV −
5	III +		11	III
6	II +		11b	IV −
7	III +		12	IV −

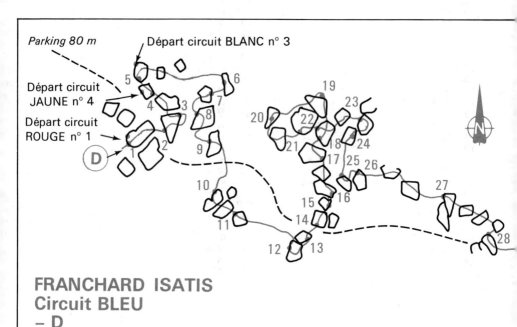

Parking 80 m

Départ circuit BLANC n° 3

Départ circuit JAUNE n° 4

Départ circuit ROUGE n° 1

**FRANCHARD ISATIS
Circuit BLEU
− D**

13	II		32	IV –
14	IV –		32b	IV –
14b	III –		33	II
15	III –		34	III +
16	III –		35	III +
17	III		36	III +
18	IV –		37	III +
18b	III +		38	III
19	IV –		39	IV
20	III –		40	IV –
20b	III +		41	III
21	IV –		41b	III
22	III		42	II +
23	III +		42b	III
24	IV –		43	III
25	IV –		44	IV –
26	III +		45	III +
27	II +		45b	III
28	III –		46	IV –
28b	IV –		47	III +
29	II +		47b	IV
30	III		48	III
30b	V –		49	IV –
31	III +		50	III +

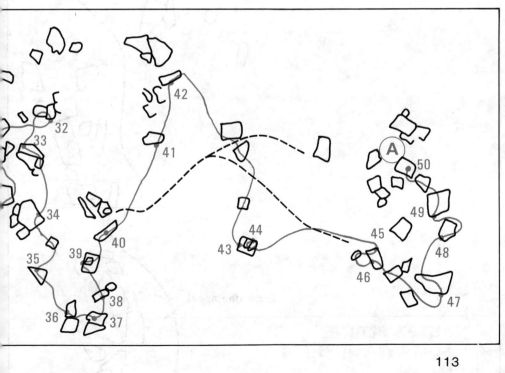

113

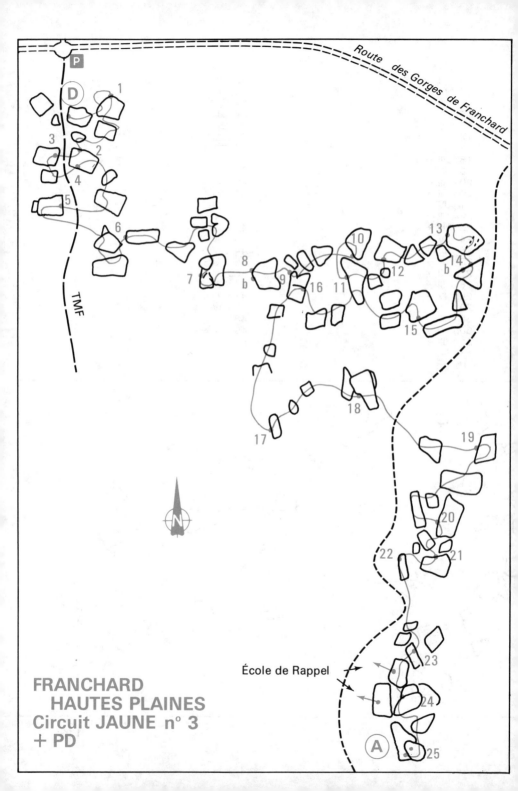

• Circuit Jaune *PD +* n° 3

Tracé par Louis Louvel et des camarades de l'U.S.I. (F.S.G.T.), ce circuit parcourt les blocs du site forestier très agréable des Hautes Plaines. Les passages variés et intéressants sont peu élevés et, sauf exception (n°s 19, 24 et 25), ils sont peu exposés. Les grimpeurs y trouveront le répertoire des mouvements d'escalade ainsi que la possibilité d'apprendre le rappel sur deux blocs équipés de pitons près de l'arrivée (surplomb et dalle).

ACCÈS AU CIRCUIT

De P2, suivre la route du Loup vers le sud (T.M.F.). Le départ est à gauche du T.M.F. quelques mètres après la route des Gorges de Franchard.

Retour : de l'arrivée, revenir sur ses pas par une sente qui passe sous les blocs à rappel. Rejoindre la route des Gorges de Franchard.

COTATIONS

1	II +	La pantoufle	12b	II +	L'alpage
1b	III +	Le cri des murs	13	II +	La poudreuse
2	III −	La manucure	14	II	L'isolement
3	III −	La poignée de main	14b	III +	L'écho du 14
4	II +	L'héliportage	15	III −	La déboussolée
5	II +	L'amnésie	16	II +	La portion
5b	I +	L'expérience	17	II +	Via le haut
6	II	La pagaille	18	II +	Le primordiale
7	II −	La reliure	19	II	Le laçage
7b	III +	La cérémonie	20	II −	La boue
8	II −	Le bip-bip	21	II	Le nez main
8b	III −	L'éloignement	22	II +	Le modèle
9	II +	Le hérisson	23	II	La ristourne
10	II +	Le débroussaillage	24	III	La courbe
11	II −	La question	25	III +	La dominante
12	II −	L'entrevue			

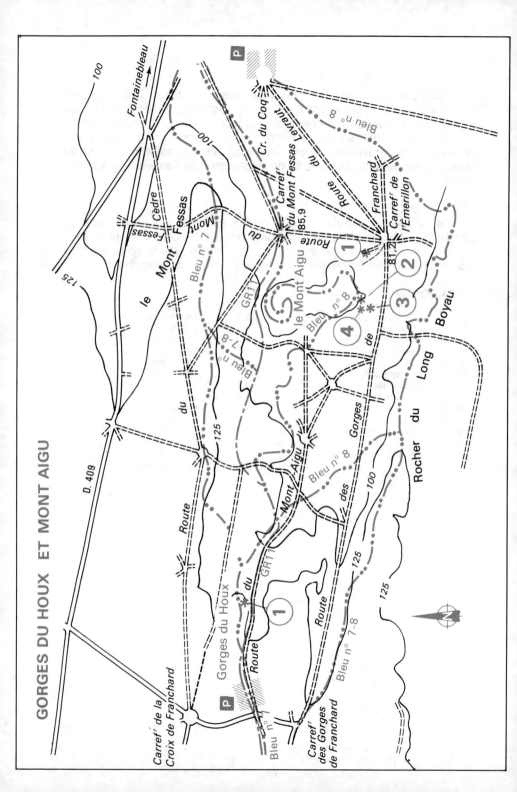

GORGES DU HOUX ET MONT AIGU

GORGES DU HOUX ET MONT AIGU

Il s'agit de petits chaos situés au flanc sud dans un cadre forestier typique du Fontainebleau des grimpeurs. Le massif des Gorges du Houx, le moins étendu, n'a permis la création que d'un seul circuit. En revanche, quatre circuits ont été tracés au Mont Aigu.

Un point d'histoire : le sentier Bleu n° 8 « hélicoïdal » fut l'un des premiers équipements touristiques de la forêt. De même, le premier sentier « sportif » sylvestre de Fontainebleau a été créé à proximité (départ au carrefour du Coq).

Les blocs, situés sous la couverture de pins maritimes clairsemés, sèchent inégalement après la pluie.

ACCÈS AUX MASSIFS

En voiture : pour les Gorges du Houx : de l'autoroute A 6, rejoindre la N 7. 4 km plus loin, prendre à droite la Route Ronde (D 301). Stationner sur la gauche de cette route 300 m après la Croix de Franchard. De là, suivre le GR11 vers l'est sur 400 m environ. Le départ du circuit se situe sur la gauche du thalweg parcouru par le sentier.

Pour le Mont Aigu : continuer à suivre la N 7 jusqu'au carrefour de la Libération (entrée de Fontainebleau), où l'on prendra sur la droite la route de Milly-la-Forêt (D 409) sur 300 m. Tourner à gauche en direction de la maison forestière de la Faisanderie. On rejoint alors le carrefour du Coq à proximité. Y stationner. De là, par la route du Levreau, ou par le sentier sportif, rejoindre le carrefour de l'Émerillon (900 m).

Au pied : pour les Gorges du Houx, de Fontainebleau suivre le GR11 sur 4 km jusqu'au départ du circuit situé sur la droite du sentier (nord). Pour le Mont Aigu, quitter le GR11 après 1,5 km au carrefour du Mont Fessas, prendre la route du Mont Fessas qui conduit au carrefour de l'Émerillon.

LES CIRCUITS

GORGES DU HOUX

• **Jaune** *PD* — n° 1 : 21 numéros + 2 *bis.* Auteur : Pierre Bontemps, du C.A.F. Circuit d'initiation peu soutenu.

Départ : sur un bloc en bordure du GR11 à 450 mètres de la Route Ronde.

MONT AIGU

• **Blanc** *enfant* n° 4 : 12 numéros + des *bis.* Auteur : Dominique Chauvet.

Départ : sur le sentier Bleu n° 8, 40 mètres après celui du circuit Bleu n° 3 (*cf.* page 19).

• **Jaune** *PD* — n° 2 : 25 numéros. Auteur : Pierre Bontemps, du C.A.F. La première partie est technique, intéressante et variée. Départ : du carrefour de l'Émerillon, suivre vers l'ouest la route des Gorges de Franchard. A 300 mètres prendre à droite le sentier Bleu n° 8. Le départ se trouve sur un bloc en bordure droite 70 mètres plus loin.

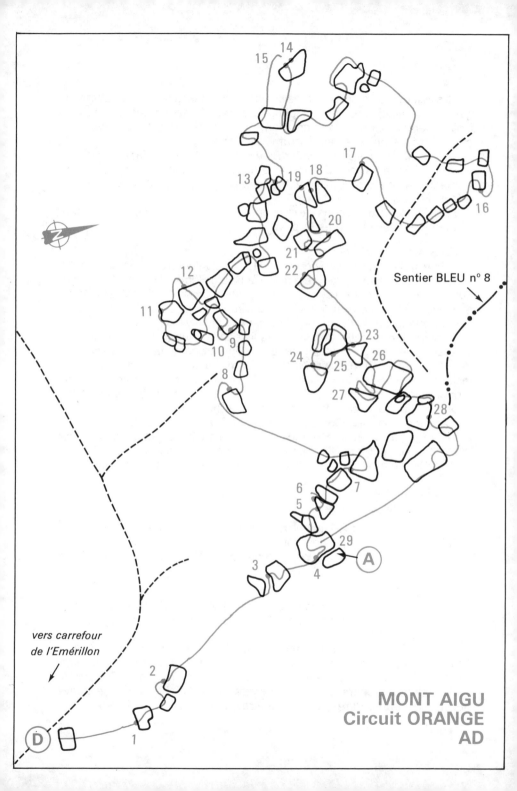

Sentier BLEU n° 8

MONT AIGU
Circuit ORANGE
AD

vers carrefour
de l'Emérillon

• **Bleu** *D + / TD* — n° 3 : 56 numéros. Auteurs : Pierre Odru, José Gros et des camarades du R.S.C.M.

De longueur moyenne, c'est un circuit qui vaut plus qu'une visite (le plus beau du Mont Aigu). La première moitié, plus facile, est à coter *D*. Départ : du carrefour de l'Émerillon, suivre vers l'ouest la route des Gorges de Franchard. A 300 m, prendre à droite le sentier Bleu n° 8. Le départ se trouve sur un rocher en bordure à droite, 20 m plus loin.

• **Orange** *AD / AD* — n° 1

Ce circuit, assez court et peu soutenu, présente néanmoins de beaux passages. C'est l'un des circuits classiques d'entraînement des Bellifontains, qui est rapidement en condition après la pluie.

ACCÈS DU CIRCUIT

Du carrefour de l'Émerillon, prendre un sentier en direction du nordouest. Le départ se trouve sur un beau bloc, 50 m plus loin en bordure de ce sentier.

COTATIONS

D	II +		14	III
1	III −		15	III +
2	III		16	III +
3	III		17	III +
3b	II +		18	III +
4	III		19	IV
4	III +		20	III
5	II +		21	III
6	III +		22	III
7	II		23	III
8	III		24	III +
9	II −		25	III
9b	IV		25b	III +
10	IV		26	III
11	III +		27	III
12	III −		28	IV
13	II		28b	IV
13b	III −		29	III +

Remarque : l'arrivée se trouve sur l'imposante roche Plutus.

119

ROCHER D'AVON

Ce massif, à la tranquilité remarquable, est constitué d'une grande crête souvent boisée, parsemée de bloc épars, avec quelques beaux points de vue sur Fontainebleau. Il est à éviter par temps humide mais sa « Dame Jeanne » mérite plus d'une visite aux beaux jours ; on y trouvera un bel ensemble de voies de haut niveau ouvertes principalement par Bruno Dizien.

ACCÈS AU MASSIF

En voiture : rejoindre le carrefour de l'Obélisque à Fontainebleau (N 6, D 58, N 7, N 152). Prendre alors la N 6 en direction de Sens. Le circuit se trouve à droite de la N 6 (sud).

A pied : de la gare de Fontainebleau, rejoindre le sentier Bleu n° 10 au niveau du camp du Bréau et le suivre vers le sud puis vers l'est.

LE CIRCUIT

• Orange *AD* — n° 3 : *cf.* page 125.

Les deux circuits Jaune et Bleu, signalés dans la première édition, n'étaient jamais parcourus. Ils ont été abandonnés par le CO.SI.ROC.

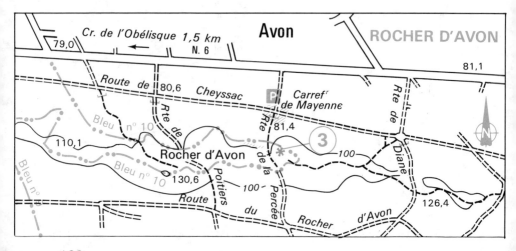

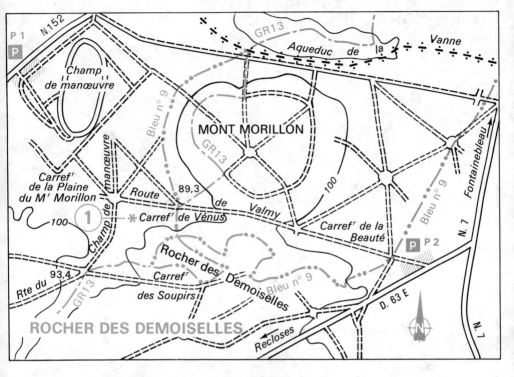

ROCHER DES DEMOISELLES

Les anciens guides nommaient ce massif « la roche aux Putains ». Les champs de tir et de manœuvres sont à proximité ainsi que la route du Bonheur, le carrefour aux Soupirs… Le site du Rocher des Demoiselles, c'est l'alliance de pins, de bouleaux, de rochers, de vallons ombragés et l'expérience d'une escalade variée, parfois aérienne.

ACCÈS AU MASSIF

En voiture : du carrefour de l'Obélisque, prendre la N 152 en direction d'Ury (sud-ouest). Stationner en bordure de la route 2,5 km plus loin, à l'extrémité du Champ de Manœuvres (sur la gauche, 500 m après le pont de l'aqueduc).

A pied : de Fontainebleau et du carrefour de l'Obélisque, le GR 13 ou le sentier Bleu n° 9 conduisent en 3 km au carrefour de Vénus, d'où l'on suit la route de Valmy vers l'ouest jusqu'au carrefour de la plaine du Mont Morillon.

LE CIRCUIT

• Orange *AD* — n° 1 : *cf.* page 123.

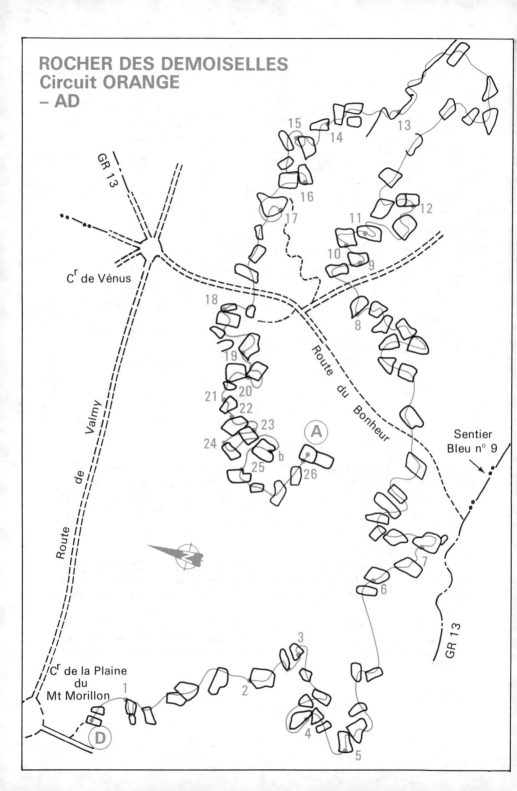

• Circuit Orange *AD* − n° 1

Ce circuit est relativement long. La première partie, très ombragée et quelque peu moussue, fait découvrir malgré tout de beaux passages. le restant du circuit, de difficulté plus élevée, présente de magnifiques passages avec quelques pas d'adhérence délicate sur de belles dalles parfois exposées et deux ou trois surplombs élégants sur un magnifique grès jaune et compact.

A signaler les superbes panoramas visibles de la Roche volante n° 7 et d'Euryale n° 23.

ACCÈS AU CIRCUIT

Du stationnement, rejoindre, à l'extrémité sud du Champ de Manœuvres, une petite sente qui conduit en 50 m environ à la route de Valmy, que l'on suit sur la gauche (est) jusqu'au carrefour de la plaine du Mont Morillon. Prendre alors la route du Champ de Manœuvres sur la droite (sud) sur 40 m, puis une sente à gauche (est) conduit au départ du circuit.

Retour : de l'arrivée, revenir en arrière en suivant le sentier Bleu, qui descend et rejoint la route du Bonheur, que l'on prend la gauche (nord) jusqu'au carrefour de Vénus, où l'on retrouve la route de Valmy.

COTATIONS

1	III −	La Bellone		15	III +	Sénélé
2	II	Ino		16	II +	Perséphone
3	II +	Léda		17	III +	Nausicaa
4	III	La roche Médée		18	III −	Les Harpies
5	III	Phèdre		19	III −	Pandôra
6	III −	Salomé		20	III	Phylira
7	III	La Roche volante		21	IV −	Io
8	III	Ève		22	III	La Méduse
9	III −	Les Danaïdes		23	III	Euryale
10	III −	Les Érynnies		23b	III −	Éros
11	II	La grande arête		24	III	Sthéno
12	III	Pélopia		24b	III	Le dièdre oublié
13	IV +	Le rempart (traversée)		25	III −	Le dièdre inversé
14	III	Éros		26	II +	Héllé

N.B. De nombreuses voies très difficiles et souvent fort belles ont été ouvertes, le long de la deuxième partie du circuit, par Alain Filippi.

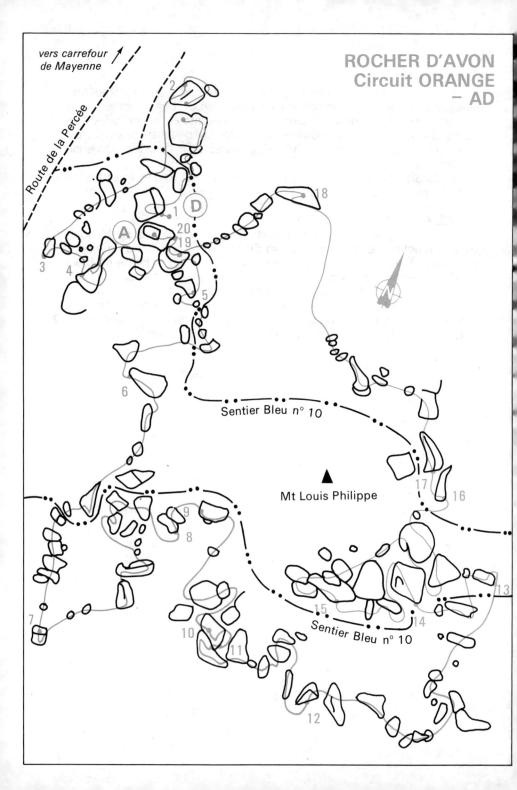

• Circuit Orange *AD* – n° 3

C'est un beau circuit, tracé par Robert Christe, qui parcourt le groupe près de la Dame Jeanne d'Avon. Il est varié, homogène, technique et sèche très vite après la pluie. Quelques voies difficiles sont repérées par des triangles jaunes ou orange.

ACCÈS AU CIRCUIT

2,3 km après l'Obélisque de Fontainebleau, prendre à droite la route de la Percée ; stationner au carrefour de Mayenne. Poursuivre vers le sud sur 100 m, prendre à gauche le sentier Bleu n° 10, qui conduit au départ, situé sur un bloc au pied de la Dame Jeanne d'Avon.

COTATIONS

1	III –	L'angle
2	II –	La dalle en pente
2b	II	La dalle à gauche
3	III –	Les sentinelles
4	III –	Les dentelles
5	II +	Le petit Grépon
6	II +	La roche feuilletée
7	II +	Le petit Dru
8	III	Le réta
8b	II +	L'hérétique
9	IV –	Le grand boulevard
10	III	La tangente
11	II +	L'adhérence
12	III –	La Claudie
13	III –	Le toboggan
13b	III –	L'éléphant
14	II	L'arête verte
14b	IV	Le jeu de dalles
14t	IV –	
15	IV –	La pénible
16	III	L'étrave
17	III	La fresque
18	III –	Le zigzag
19	II +	La dalle au gratton
20	II +	La Dame Jeanne

N.B. Signalons un très beau point de vue vers le sud, 100 m à l'est du n° 13.

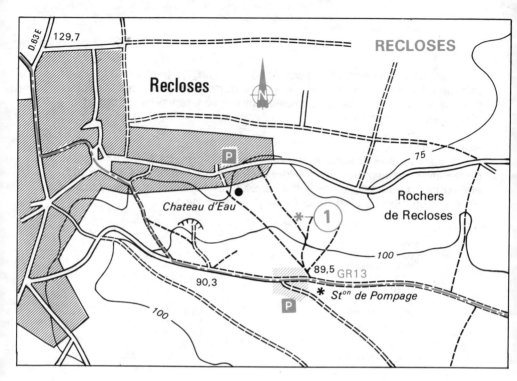

RECLOSES

Dominé par le village de Recloses, c'est un petit massif d'intérêt secondaire, sur le flanc nord de la vallée de Malvoisine. Il est rendu très moussu par la présence d'une végétation abondante.

- Orange *AD* – n° 1 : Auteur : Christian Baer et René Vernadet.

C'est un circuit inégal malheureusement très effacé et quasiment oublié.

ACCÈS AU CIRCUIT

En voiture : de l'autoroute A 6, rejoindre le carrefour de l'Obélisque à Fontainebleau (16 km). Suivre la N 7 vers le sud sur 2 km et prendre en oblique à droite la D 63E qui conduit à Recloses. Arrivé au carrefour principal du village, prendre la rue des Canches sur la gauche (est). Stationnement difficile au niveau du départ du « Chemin du village au puits », qui conduit en 180 m vers le sud (descente) au départ du circuit, en bordure gauche de la sente.

A pied : de la gare de Bourron-Marlotte, rejoindre le GR 13 par son diverticule ; le suivre d'abord vers le nord puis vers l'ouest. Au niveau d'une station de pompage caractéristique, suivre un chemin en oblique à droite sur 50 m (ligne électrique) puis une sente encore en oblique à droite conduit au départ du circuit (bloc à droite).

Signalons que la Grande Sablière, à proximité de Recloses, mérite le détour (suivre le GR 13).

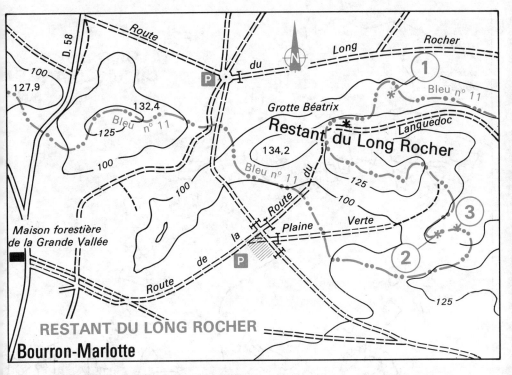

RESTANT DU LONG ROCHER
Bourron-Marlotte

RESTANT DU LONG ROCHER

Beau massif dans une magnifique zone forestière très tranquille.

ACCÈS AU MASSIF

En voiture : de l'autoroute A 6, rejoindre le carrefour de l'Obélisque de Fontainebleau. Prendre alors la D 58 en direction de Bourron-Marlotte. A l'entrée du village, prendre à gauche (est) devant la Maison Forestière la route forestière de la Grande Vallée puis, 300 m plus loin en oblique à gauche, la route forestière de la Plaine Verte jusqu'à une zone de stationnement au niveau de la Plaine Verte.

A pied : de la gare de Bourron-Marlotte, traverser le village jusqu'à la Maison Forestière de la Grande Vallée et suivre ensuite l'itinéraire précédent.

LES CIRCUITS

- **Orange** *AD* −*/AD* n° 1 : *cf.* page 129.
- **Vert** *AD* n° 2 : 12 numéros. Peu soutenu et difficile à suivre.

Départ : de la Plaine Verte, suivre la route du même nom vers l'est. 150 m plus loin, prendre le sentier Bleu n° 11 vers la droite (sud-est). Le départ se trouve dans la seconde cheminée caractéristique dont le fond est parcouru par le sentier.

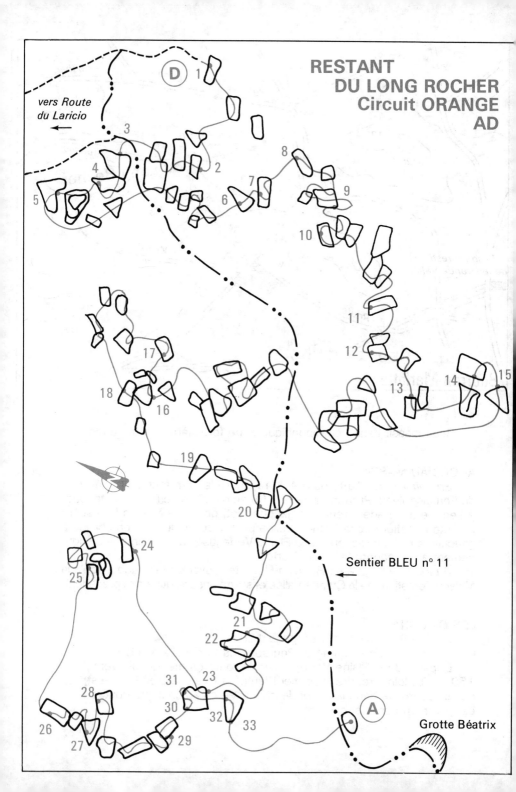

RESTANT
DU LONG ROCHER
Circuit ORANGE
AD

vers Route
du Laricio

Sentier BLEU n° 11

Grotte Béatrix

- **Rouge** *TD* n° 3 : *cf.* page 131.
- **Circuit orange** *AD* −/*AD* n° 1

Initialement tracé en rouge par Alain Filippi et Michel Lalarme, ce circuit a été repeint en orange. Il exploite les blocs du versant nord, le long du sentier Bleu n° 11 et à proximité de la grotte Béatrix.

De niveau moyen *AD*, avec un début *PD*, il présente de beaux passages techniques, en général peu exposés, dont certains — assez originaux — se déroulent sur du grès à ciment calcaire criblé de trous pour les doigts. D'autres blocs imprégnés d'oxyde de fer, sont d'un superde ocre-rouge qui donne à ce massif une ambiance spécifique.

ACCÈS AU CIRCUIT

De la Plaine Verte, suivre la route du Languedoc vers le nord jusqu'au sentier Bleu n° 11, que l'on rejoint près de la grotte Béatrix. De cette grotte, le suivre vers l'est sur 250 m environ jusqu'à son point le plus bas ; le départ se trouve 30 m plus haut sur la droite (sud).

COTATIONS

1	II +		17	III +
2	II −		18	III +
3	II		19	IV −
4	II +		20	IV
5	II +		21	III −
5b	III +		22	III −
6	III		23	II +
7	IV −		24	III
8	II −		25	II −
9	III		26	IV
10	III		27	II −
11	II		28	IV −
12	III +		29	II +
13	IV −		30	II +
14	II		31	III −
15	III −		32	IV
16	III −		33	III +

Ce circuit jouxtant une zone d'intérêt écologique et botanique certain, le CO.SI.ROC. et l'Association des Naturalistes du massif de Fontainebleau (qui peut fournir aux personnes intéressées par les observations des renseignements à l'adresse suivante : 21, rue Le Primatice, 77300 Fontainebleau) demandent aux grimpeurs de suivre scrupuleusement le tracé du circuit sans couper à travers bois, pour éviter toute destruction du milieu naturel.

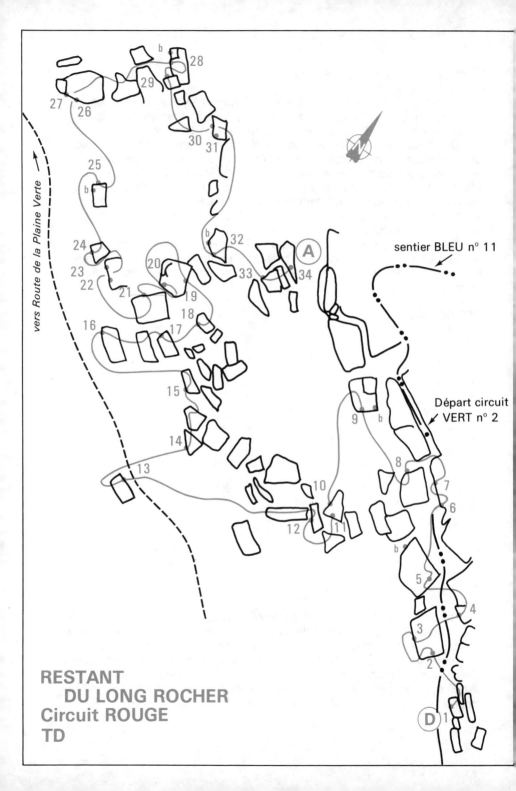

sentier BLEU n° 11

Départ circuit
VERT n° 2

vers Route de la Plaine Verte →

**RESTANT
   DU LONG ROCHER
Circuit ROUGE
TD**

• **Circuit Rouge** *TD* **n° 3**

Ce très beau circuit a été tracé par Alain Filippi et remanié en 1985 par Sylvie Semence, Bernard Forest et Michel Guillère.

Il est assez court, un peu inégal, parfois très athlétique et toujours varié et intéressant. Le grès de cette partie de la forêt étant souvent à cimentation calcaire on y trouvera beaucoup de passages à petits trous pour les doigts qui seront parfois très sollicités.

Après une pluie l'ensemble sèche beaucoup plus vite que ne le veut la légende, sauf bien sûr quelques passages qui restent longtemps gluants.

ACCÈS AU CIRCUIT

De la Plaine Verte, suivre la route du même nom vers l'est. 150 m plus loin, prendre le sentier Bleu n° 11 vers la droite (sud-est). Le départ se trouve à côté de la grotte Kosciuszko, en bordure droite du sentier Bleu.

COTATIONS

1	V −	Le dé	17	V	Le Nalcat
2	V	Le portique	18	IV	L'avancée
3	VI +	Élixir de Bouldering	19	IV −	Super-gratton
3b	V −		20	V	La couleuvre
4	IV	Les colonnes	21	V	Hyper gratton
5	V −	L'expo d'enfer	22	V	Le pascalien
5b	VI +	Destroy Men	23	VI −	L'impossible
6	V	L'anonyme	24	IV +	L'hypothénuse
7	V −	La chamoniarde	25	IV	L'arête
8	IV	La fiole	26	VI −	La tendinite
9	V	L'œuf	27	V	Balade sous les toits
10	V	Le triangle	28	IV +	L'inversée
11	IV	La dalle	29	V −	La voûte
12	V −	La tricotine	30	IV	La gouttière
13	IV	L'inconnu	31	V +	L'impulsion
14	IV	Le biceps	32	IV	L'hétéroclite
15	IV +	Les lames	33	V −	L'hercule
16	V +	Aux doigts et à l'œil	34	V	L'imparable

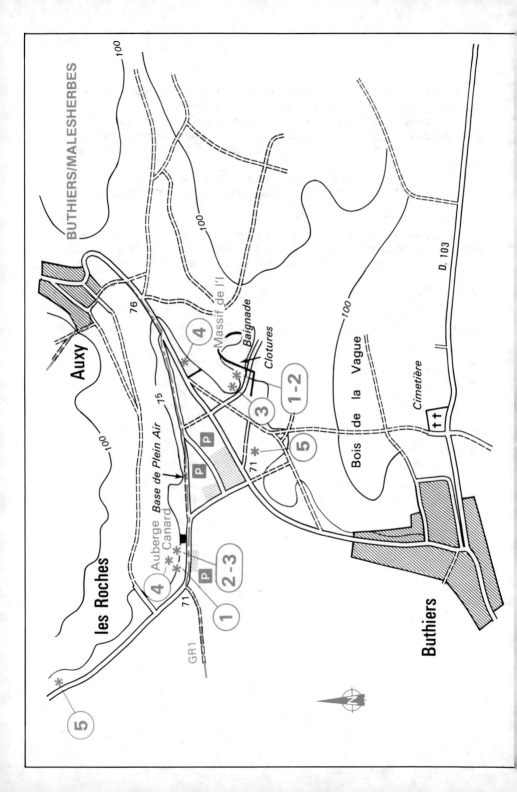

MASSIFS SUD DE FONTAINEBLEAU

BUTHIERS/MALESHERBES

Dernier relief avant les grandes plaines de la Beauce, formé de plusieurs chaos de magnifiques blocs, le site de Buthiers/Malesherbes a été sauvé de la privatisation par la création de la base de loisirs et de plein air de Buthiers (*cf.* bibliographie).

Traditionnellement, les grimpeurs ont subdivisé ce massif en deux groupes séparés par la route de Buthiers à Auxy : Buthiers massif Canard au nord et Buthiers massif de l'I au sud.

ACCÈS AU MASSIF

En voiture : le plus rapide est de suivre l'autoroute A 6 jusqu'à la sortie d'Ury (péage). Prendre à droite la N 152 direction de La Chapelle-la-Reine et Malesherbes. 1 km après la jonction avec la D 410 qui vient de Milly (descente), aux feux tourner à gauche en direction de la base de plein air de Buthiers. Stationnement P1 devant l'Auberge Canard situé en bordure gauche de la route et P2 sur les parkings de la base de plein air, environ 250 m après P1.

A pied : de la gare de Malesherbes, suivre le GR1 (est) sur 1,5 km jusqu'à l'Auberge Canard.

LES CIRCUITS

MASSIF CANARD

La corde est souvent indispensable dans ce massif à l'escalade aérienne. Les rochers souvent recouverts de lichen deviennent très vite glissants par temps humide.

• **Blanc** *enfant* **n° 5** : 27 numéros. Auteurs : Dominique Chauvet et Jean-Paul Lebaleur. Départ : il se trouve sur la droite d'une petite zone dégagée située en bordure gauche (nord-est) de la route d'accès à la base, à 180 m du croisement de la N 152. (*Cf.* page 19).

- **Jaune** *PD* − /*F* + n° 2 : 29 numéros. Auteur : Dominique Chauvet. Inégal, quelquefois exposé et très fréquenté.

  Départ : sur un bloc situé immédiatement à gauche de l'Auberge Canard (P1).

- **Orange** *AD* n° 3 : 34 numéros. Auteurs : créé par Michel Rey et modifié par J.-C. Beauregard. Technique et parfois exposé.

  Départ : sur le bloc immédiatement à gauche de l'auberge.

- **Bleu** *D/D* + n° 1 : 43 numéros + 4 *bis*. Auteurs : Dominique Chauvet et Michel Rey. Ce circuit reprend divers passages des anciens circuits Jaune, Vert et Rouge. Il est varié, technique, parfois exposé et aérien. La corde sera utile pour l'assurage sur les grands blocs.

  Départ : sur la face sud-ouest d'un petit bloc proche de la route et situé 50 m à gauche de l'auberge.

- **Noir** *ED* n° 4 : 22 numéros. Auteurs : bien ébauché par J.-C. Droyer, il a été tracé par Jean-Pierre Bouvier et Jean-Paul Lebaleur.

  Beau circuit, très technique souvent dur pour les doigts et parfois très exposé.

  Départ : sur la face sud d'un haut bloc, 30 mètres à gauche de l'auberge.

MASSIF DE L'I

Les rochers sont en général moins hauts et les chutes meilleures que dans le groupe précédent. Situés dans une zone assez dégagée, ils sèchent rapidement après la pluie. Cette partie, autrefois fort sympathique, est malheureusement défigurée par la piscine et sa clôture.

- **Jaune** *F* +/*E* n° 5 : 23 numéros. Auteurs : J.-P. Bouvier et J.-P. Lebaleur. Circuit sympathique, varié, court et peu exposé. C'est un parcours d'initiation convenant tant aux enfants qu'aux adultes. Possibilité de rappels. (*Cf.* page 19).

  Accès : du bureau d'accueil (au niveau de P2), rejoindre la route Buthiers-Auxy. La suivre à gauche sur 50 mètres puis prendre un bon chemin en oblique à droite (est). Départ sur un gros bloc à droite, 100 mètres plus loin.

- **Orange** *AD* − n° 1 : 44 numéros + 1 *bis*. Auteurs : MM. Pellé et Schénone. Intéressant, varié et parfois un peu exposé.

  Départ : de P2, rejoindre l'entrée de la piscine (panneau). Départ sur le bloc situé juste à gauche.

- **Bleu** *D* + n° 2 : *cf.* page 137.

- **Rose** *TD* +/*TD* n° 4 : 35 numéros. Auteurs : Michel Rey et Jean Delaveau. Escalade intéressante, variée et technique sur de grands blocs d'où la chute est généralement bonne. Il sera repeint en Rouge.

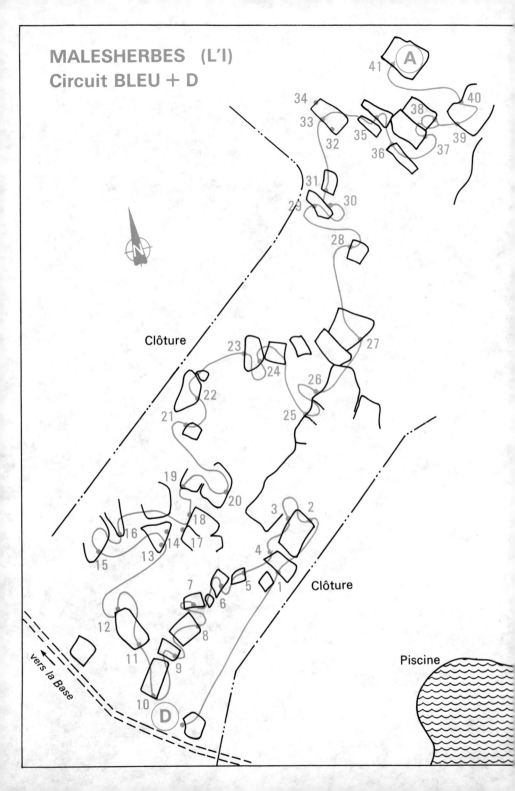

Départ : de P2, suivre la route d'Auxy sur 300 m environ. Départ sur un bloc qui est situé juste en bordure, à droite.

- **Noir** *ED* n° 3 : 39 numéros.

Tracé initialement par Alain Michaud du R.S.C.M., ce circuit a été repeint et modifié (l'ancien départ et les premiers numéros se trouvent maintenant dans la zone clôturée autour de la piscine) par Yves Payrau. C'est un très beau circuit technique, en général très athlétique. Il est parfois exposé sur des blocs souvent hauts dont le grès parfois fragile comme dans les massifs de la région sud demande une certaine attention. Ce circuit ne comprend malheureusement pas de rocher intermédiaire.

Départ : de P2, le départ se trouve en bordure gauche du chemin qui conduit à la piscine, environ 50 m avant l'entrée de celle-ci.

- **Circuit Bleu** *D* + n° 2

Il reprend les principaux rochers de la première partie du circuit Bleu peint par MM. Schénone et Pellé, la longueur de l'ancien tracé semblant rebuter de nombreux grimpeurs.

L'escalade y est très variée et soutenue, parfois exposée.

Le topo de M. Martin a servi de base aux cotations des rochers. Tous les départs s'effectuant au sol et aucun passage ne nécessitant l'emploi du « jeté », la cotation a été établie en conséquence ; ceci dit, chacun grimpe à sa manière, et aucune prise n'est interdite.

ACCÈS AU CIRCUIT

Départ : sur le même bloc que le circuit n° 1.

COTATIONS

1	IV −	la Jambe en l'Air	23	IV +	le Général direct
2	IV	la Rampe de l'Escalier vert	23b	III +	
3	IV	la Vire à Bibi	24	III +	les Grattons du Général
4	IV +	la Lime à Ongle	25	IV +	la Fissure du Sherpa
5	IV +	l'As tactique	26	IV	le Dé Rance
6	IV +	le Petit Cervin	27	IV	la Bien Planquée
7	IV	l'Onglier	28	III +	la Vite Fait
8	IV +	la Dalle de Marbre	29	IV +	la Deschenaux
9	IV +	le Jeté tentant	30	IV	l'Envers de la Deschenaux
10	IV	l'Angle du Grincheux	31	III	l'Histoire de
11	IV +	l'Andouille de Vire	32	IV +	le Surplomb des Poings
12	IV +	le Quadriceps gauche	33	III	les Poings à Gauche
13	IV −	les Doigts sous le Pied	34	IV	la Fissure des Poings
14	IV	la Dalle du Pin	35	IV	le Plaisir des Dames
15	IV +	le Jazz	36	III	le Plaisir à Personne
16	III +	la Java	37	IV −	le Minaret
17	IV −	le Quadriceps droit	38	III +	les Trous du Gruyère
18	IV −	les Pieds à plat	39	V −	la Fissure de l'I
19	IV	les Doigts coincés	40	V −	la Fissure verte
20	IV −	les Mains à plat	41	IV +	la Mine à Rey
21	III +	les Baquets	42	IV +	la Fissure Brutus
22	IV	l'Enjambée			

N.B. — Il sera peut-être de nouveau modifié.

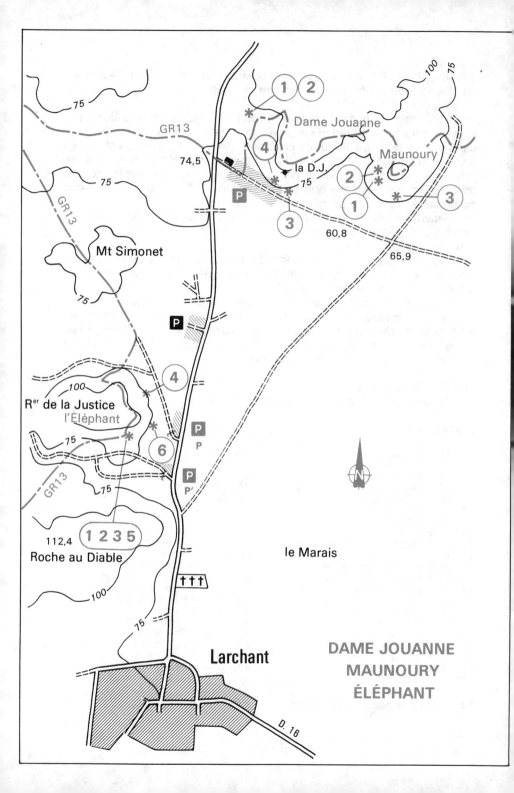

DAME JOUANNE
MAUNOURY
ÉLÉPHANT

DAME JOUANNE — MAUNOURY — ÉLÉPHANT

Ce massif, situé dans le golfe de Larchant, est mondialement connu en raison de la Dame Jouanne, le plus haut rocher de Fontainebleau (15 m), et du circuit Mauve tracé dès 1948. Les grimpeurs ont pour habitude de diviser ce massif en trois sous-groupes : la Dame Jouanne, le Maunoury et l'Éléphant. Ces groupes de caractéristiques voisines sont bien dégagés ; la Dame Jouanne, clairsemée de grands pins, offre en plus une ombre fort appréciée l'été. Les rochers et les passages sont en général hauts. L'escalade, de style assez athlétique, s'effectue sur de grosses prises bien marquées.

Dans tous ces groupes, l'exposition des rochers nécessitera l'usage d'une corde pour les débutants.

Mis à part ces trois massifs principaux, il existe de nombreux petits groupes qui peuvent prêter à l'escalade, notamment au cours d'une randonnée. Le CO.SI.ROC et l'O.N.F. demandent qu'il n'y soit tracé aucun balisage.

Certaines soirées d'été, la présence de moustiques, due à la proximité du marais de Larchant, peut rendre le séjour très désagréable.

ACCÈS AU MASSIF

En voiture : par l'autoroute A 6, sortir à Ury (péage). Prendre à droite la N 152 jusqu'à La Chapelle-la-Reine. Tourner à gauche, en direction de Larchant-Nemours. Traverser Larchant et, peu avant la sortie du village, un panneau marqué « Dame Jouanne », sur la gauche, indique la direction à suivre : route de Villiers-sous-Grez, 800 m plus loin, stationnement P1 soit en bordure de la route à la hauteur de barrières O.N.F., soit dans une petite clairière à droite, 20 m environ après un mur délabré. Pour P2, poursuivre la même route sur 1 km et tourner à droite. Le stationnement est possible immédiatement après le Chalet Jobert.

A pied : de la gare de Nemours, rejoindre Larchant soit par la D 16, soit par le GR13 (beaucoup plus joli mais plus long).

LES CIRCUITS

DAME JOUANNE

• **Jaune** *PD* n° 2 : 110 numéros + 6 *bis*. Auteur : Daniel Taupin du G.U.M.S. Ce circuit très long, très varié et technique est souvent exposé ; une corde sera utile pour l'assurage.

Départ : *cf.* circuit Mauve page 141.

• **Mauve** *AD +* n° 1 : *cf.* page 141.

• **Bleu** *D −* n° 4 : 47 numéros + 10 *bis*. Auteur : Bernard Théret. Ce parcours, intéressant et plutôt exposé, est un peu inégal.

Départ : de P2 suivre le chemin forestier vers l'est sur 150 mètres. Il se trouve 50 mètres à gauche sur la face sud d'un gros bloc parcouru par le numéro 56 Jaune.

• **Rouge** *TD* – n° 3 : 46 numéros. Tracé par Claude Vigier et Philippe Grézat.

Beau circuit, technique, varié mais souvent exposé.

Départ : de P2, suivre le chemin forestier vers l'est sur 200 m environ jusqu'au gros bloc dit La Fourche, à proximité sur la gauche. Départ face est.

MAUNOURY

• **Vert** *AD* –/*PD* + n° 1 : 54 numéros + 18 *bis.* Auteurs : Pierre Chambert et Maurice Martin, du C.A.F. Bon circuit d'initiation à l'escalade exposée, assez soutenu et présentant des passages techniques et variés.

Départ : de P2, suivre le chemin forestier vers l'est ; passer une zone marécageuse et, 100 m plus loin, prendre un chemin sur la gauche qui longe le bord ouest du pignon du Maunoury. Départ sur la face nord-ouest d'un gros bloc situé à droite du sentier 200 m plus loin (érosion intense au pied de ce rocher ; ne pas escalader la face Sud).

• **Bleu** *D* – n° 2 : *cf.* page 145.

• **Rouge** *TD* + n° 4 : 36 numéros (1986). Auteur : Philippe Berger. Très beau circuit avec des passages hauts, athlétiques et exposés. La corde peut être utile lors des premiers contacts.

Départ : de P2 suivre l'approche du Vert n° 1 ; au premier bloc rencontré appuyer franchement à droite (est) ; le départ se trouve sur la face nord-est d'un gros bloc situé tout au bas de la pente 60 m plus loin.

ÉLÉPHANT

• **Blanc** *enfant* n° 4 : auteur : Michel Coquard. Le premier circuit pour enfants de Bleau. (*Cf.* page 19).

Départ : quelques dizaines de mètres au nord de celui du Jaune.

• **Jaune** *PD* – n° 6 : non numéroté. Circuit d'initiation.

Départ : de P1, prendre le chemin forestier vers le nord-ouest ; le départ se situe à 60 m environ de la barrière, sur un petit bloc à gauche du chemin.

• **Orange** *AD/AD* – n° 1 : 44 numéros + 2 *bis.* Ce très long et très beau circuit est un des grands classiques de Fontainebleau. Offrant des passages de toutes sortes, parfois exposés, c'est un excellent circuit d'endurance qui décrit une grande boucle ceinturant le massif.

Départ : de P1, prendre un chemin vers l'ouest qui conduit en 250 m au départ sur le bloc à droite immédiatement après l'Éléphant.

• **Bleu** *D* n° 3 : 84 numéros + 34 *bis.* Auteurs : tracé par Antoine Melchior sur la base d'un Rouge réalisé par Charles Deneux. Très beau et très long circuit d'escalade comparable au circuit Orange *AD* n° 1, mais de difficulté supérieure. Les passages sont souvent athlétiques, avec néanmoins de bonnes prises. Le rocher, quelquefois friable, nécessite de l'attention.

Départ : de P1, prendre un chemin vers l'ouest qui conduit en 250 m au rocher caractéristique de l'Éléphant. Départ sur sa face sud.

• **Rouge** *TD* n° 7 : numéroté. Auteur : Charles Deneux. Ce circuit très irrégulier exploite les flancs est et nord du Rocher de la Justice ; il est parfois exposé. Il sera abandonné.

Départ : sur le rocher de l'Éléphant. (*Cf.* Bleu n° 3).
- Vert *TD* n° 2 : *cf.* page 147.
- Noir/Blanc *ED* — n° 5 : 40 numéros + 2 *bis*. Auteur : Antoine Melchior, du G.U.M.S. Très varié et parfois très exposé, il demande de solides qualités techniques et athlétiques.
Départ : de P1, prendre un chemin vers l'ouest qui conduit en 250 m au départ sur le bloc de l'Éléphant.

DAME JOUANNE
- Circuit Mauve *AD* + n° 1

C'est un circuit de difficulté moyenne, bien qu'il soit délicat de lui donner une cotation précise. Les passages de III et III + sont nombreux et on trouve même des passages de IV — et de IV. Il convient d'insister sur la longueur du circuit plutôt que sur sa difficulté : « C'est de loin le plus long circuit de Fontainebleau », disait Maurice Martin en 1958.

C'est un excellent circuit d'entraînement et de test pour la forme physique, puisqu'il présente une succession de 200 montées, descentes, traversées totalisant 1 500 à 2 000 m d'escalade. « Exercice de résistance mais aussi exercice de tête, disait-il car les chutes sont mauvaises. » Et d'ajouter : « A mes yeux, ce défaut sera une qualité ; il s'agit essentiellement d'un jeu, mais, pour la plupart des grimpeurs, d'un jeu d'entraînement à la montagne, et, à la montagne, il est rare que la petite plage de sable vous attende à quelques mètres du départ ! »

Maurice Martin poursuivait ainsi sa présentation du circuit : « Dans la difficulté dans laquelle le circuit évolue, un grimpeur moyen possédant déjà du "métier" devra être pratiquement toujours en sécurité ; on ne doit pas avoir à sauter dans le III Bleau, et, à de très rares exceptions près, les quelques pas de IV du circuit ne sont pas exposés. L'exposition générale du circuit sera, de plus, une justification à l'utilisation de la corde pour des cordées non homogènes, et, lorsqu'on voit certains grimpeurs de Bleau dans le II et même le III avec leurs anneaux à la main dans une course en montagne, on peut à bon droit penser qu'il ne s'agirait pas là d'exercices inutiles... »

ACCÈS AU CIRCUIT

De P2, prendre un sentier plein nord (GR13) qui traverse une clairière et remonte un vallon (ravinement) en appuyant sur la gauche sur 250 m. Tirer à gauche vers une grande dalle verticale caractéristique (Dalle de Feu)
— départ du Jaune n° 2 légèrement en retrait sur un petit bloc à gauche
— celui du Mauve se trouve 70 m plus à l'ouest.

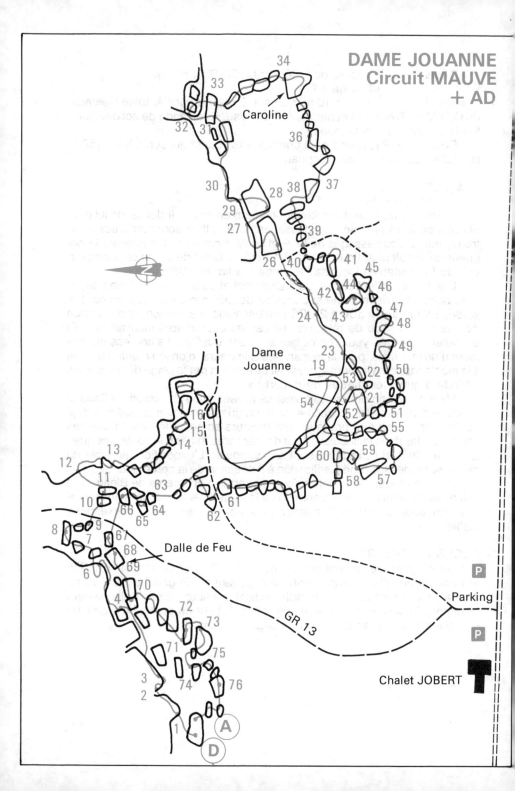

COTATIONS

1	II	Le réta du pof
2	III	Le mur à Jules
3	III +	La traversée du fada
4	IV	La mine aux demis
5	III −	La cheminée du gruyère du requin
6	III	Le genévrier
7	II	Le rocher bouffé aux mites
8	III	La traversée du temple
9	III +	La traversée du rocher rond
10	III −	L'accès au Simplon
11	II	Le rateau de chèvre
12	III +	La fissure à Tom
13	III	La traversée verte
14	III +	L'angle des J3
15	II	La takouba
16	IV −	Le réta vicelard
17	III −	La traversée du jardin
18	III	La fissure à pipi
19	II	La boîte aux lettres
20	IV −	La tubulaire
21	II	La voie cassée
22	III +	Les assiettes
23	III	La paroi aux trois grottes
24	III	La pesée
25	IV −	Le dièdre baveux
26	IV	La patinoire
27	III	Le coude désossé
28	III +	Le n° 1 de la dalle aux pigeons
29	III +	La muraille de Chine
30	III +	La muraille de Chine (suite)
31	IV −	Les grattons du french-cancan
32	III	La voie des lacs
33	III	La voie qui mérite un numéro
34	III	Les trous de gauche de la Caroline
35	III	La forêt vierge
36	II	Les grattons des petits enfants
37	III +	Les maquereaux au vin blanc
38	IV	L'envolée du tank
39	II +	La fissure des dames

40	III −	Le mur de la gitane
41	III −	Les oreilles de cocu
42	II	Le rocher du Gaulois
43	III	Le mur des préliminaires
44	IV −	La fissure Souverain
45	IV −	L'angle sud-ouest de la calanquaise
46	III −	La balançoire
47	III +	La goulotte de la rampe
48	III +	Les tripes à Géo
49	III −	La face sud de l'hippopotame
50	II	
51	III	La tour de Pise
52	III +	L'arête de Larchant
53	III +	La voie du cheval
54	II	Le rocher de la dalle aux Mathieux
55	III −	Le rocher du tremblement de terre
56	III −	L'empruntée
57	III +	La fissure sud de l'ours
58	III −	L'arête nord-ouest de l'ours
59	IV −	Le face-à-main
60	III +	La dalle Brégeault
61	III +	Le rateau de bouc
62	III +	La fausse glissière
63	III	Le parapluie
64	III	Le cache Baba
65	III +	Le Baba coulant
66	III	La dalle du radio circus
67	III	La traversée du Rigoulot
68	III	La dalle de feu
69	III	Le rocher du jeune marié
70	III −	Le pas de Barbe-Bleue
71	III +	La traversée du petzouille
72	III +	Le pas de la chaise électrique
73	IV	La traversée à Mimiche
74	III +	La face nord du petit minet
75	III	L'arête de la petite noire
76	III +	La traversée du tourniquet

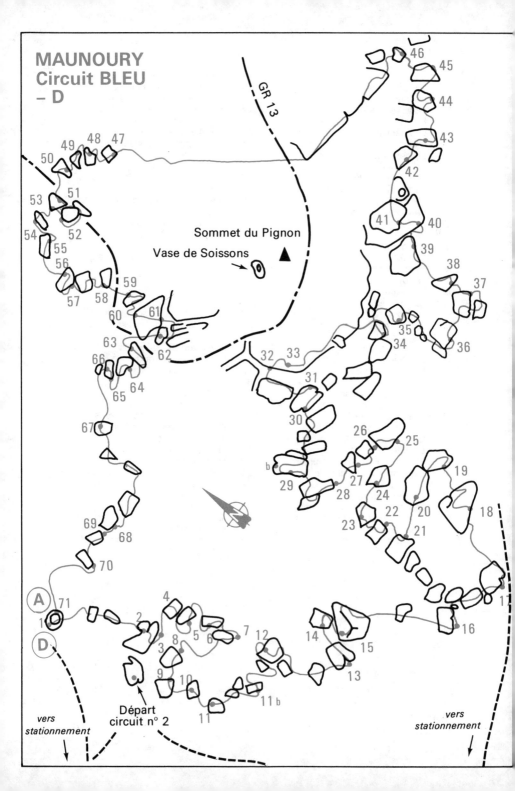

• Circuit Bleu *D* – n° 2

Tracé en 1960 en orange par Maurice Martin, du C.A.F., c'est un magnifique circuit varié, souvent exposé et très style « montagne » long et assez athlétique. Très venté et très ensoleillé, il est souvent en condition. Son parcours peut devenir pénible par grosse chaleur.

ACCÈS AU CIRCUIT

De P2, suivre le chemin forestier vers l'est ; passer par une zone marécageuse et 100 m plus loin (à 400 m du Chalet Jobert), prendre un sentier sur la gauche qui longe le bord ouest du pignon du Maunoury. Départ sur un « bilboquet » situé 250 m plus loin, 50 m après le départ du circuit n° 1.

COTATIONS

1	III +	Le bilboquet		36	III	Le réta du trésor
2	III			37	III +	Le contour du pilastre
3	IV +	La vire à bicyclette		38	III	La petite plaque de marbre
4	III	Le miroir aux alouettes		39	III +	La paire de bretelles
5	IV +	Le super toboggan		40	IV	La fissure des signes
6	III +	L'arête ronde				rupestre
7	IV	Le surplomb du boxeur		41	II +	L'embrasse-moi
8	III –	Les fesses		42	IV –	Le mur blanc
9	IV –	Le surplomb du cuveton		43	III	Les planqués
10	IV –	La gifle		44	IV	Le pot de moutarde
11	IV	Le surplomb du prélude		45	III	La tour de l'Orient
11b	IV	Le petit château		46	IV –	La tour Denecourt
12	III +	L'arête du triangle		47	III	La sauce verte
13	IV	La boîte		48	III +	La sauce blanche
14	III –	La dalle des paras		49	III	Le menhir
15	IV –	Le rocher de Sacha		50	III	Le collier du dogue
16	IV –	La Traversée du nid		51	IV	Les spoutniks
17	IV	La Traversée de la grande		52	III	Le spoutnik 2
		Monique		53	III +	Le trou du souffleur
18	III +	Le château-fort		54	III	Le jeton
19	II	La pâtissière		55	IV	Le mètre pliant
20	III	La descente de la loco		56	III	Le piano à queue
21	IV –	La dalle du clodo		57	V	Les orgues
21b	III +			58	III +	La brique réfractaire
22	III +	La petite fresque		59	III	La glissière à Toto
23	IV	La traversée du camembert		60	III	L'aérolithe
24	III +	Le petit I		61	III –	Le coupe-gorge
25	III +	La fissure du bec		62	III –	Le surplomb de la dégon-
26	IV	Le surplomb des tétons				flante
27	III	La cheminée du rouge-gorge		63	III –	La poignée de métro
28	III –	La face est du motard		64	III +	Le surplomb du Fakstind
29	IV	La traversée de Rigoulot		65	III +	L'étrave
29b	IV +			66	IV –	L'échelle de coupée
30	IV	Le petit Z		67	III	La traversée des pattes de
31	III +	Le surplomb du porte-manteau				tortues
32	IV	La traversée du vieux marin		68	IV –	Le bec de gaz
33	IV –	Le pas de géant		69	III	L'arête du poivrot
34	IV +	Le dévers		70	III –	Le marchepied de l'autobus
35	IV	La traversée du calbar		71	III +	La voie de la fin

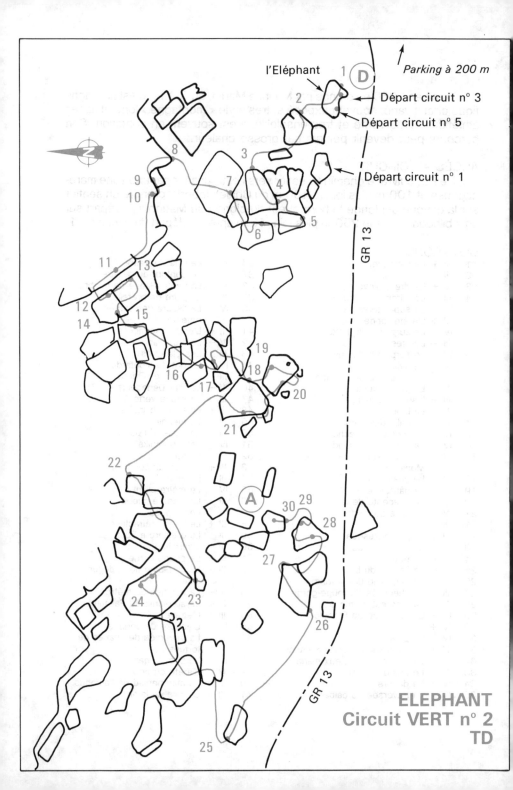

l'Eléphant

Parking à 200 m

Départ circuit n° 3

Départ circuit n° 5

Départ circuit n° 1

GR 13

GR 13

**ELEPHANT
Circuit VERT n° 2
TD**

- **Circuit Vert *TD* n° 2**

Tracé par Charles Deneux, c'est un beau circuit un peu court, avec des passages variés, très exposés et de difficulté inégale. Son parcours est du plus grand intérêt grâce à un subtil dosage entre la difficulté et l'exposition des voies. Il requiert sang-froid et lucidité.
En général il sèche rapidement après la pluie.

ACCÈS AU CIRCUIT
De P1, prendre un chemin vers l'ouest qui conduit en 250 m au départ sur la « trompe » de l'Éléphant.

COTATIONS

1	IV −	La trompe de l'Éléphant	
2	IV	La colonnette	
3	V	Le trois trou	
4	V	Le surplomb du bouton	
5	V	Traversée du surplomb	
6	III		
7	IV	Le bidule	
8	III +	L'arête sud du mur Lépiney	
9	IV +	Traversée grotonnante	
10	III		
11	V −	Le grand couloir (aller)	
12	III	Le grand couloir (retour)	
13	III		
14	IV −		
15	III +		
16	II		
17	IV −		
18	VI	La cage aux ours	
19	V −	La prise occulte	
20	V −	La voie du Louis	
21	VI −	La traversée des demoiselles	
22	IV	Le repoussoir	
23	IV	Les gros bras	
24	V −	Le coup de culot	
24b	V	La voie des nanas	
25	III	L'omelette	
26	VI	La Charleuse	
27	VI	Le rateau de chèvre	
28	IV	Traversée de la Carlota	
29	V −	La traversée du trio	
30	V	Le final	

N.B. — Certains passages pourront être nettement plus difficiles si l'on évite de poser le pied sur des blocs évidents.

PUISELET (27)

Les rochers principaux se répartissent sur les deux petits pignons du Mont Sarrazin au nord-ouest du village du Puiselet. Dans ce massif se mélangent harmonieusement sable, pins et rochers.

L'escalade est souvent exposée sur le pignon ouest et parfois rendue dangereuse par le lichen sur sa face nord. En plus des circuits du Mont Sarrazin, on peut trouver d'excellents murs propices (et équipés) à l'escalade artificielle à la Sablibum et à la carrière du Puiselet (*cf.* carte).

ACCÈS AU MASSIF

En voiture : rejoindre Nemours par l'autoroute A 6 et la N 7. Prendre vers l'ouest la direction de Larchant par la D 16, sur 2 km. Tourner à gauche en direction du Puiselet. 750 m plus loin, dans le premier tournant à droite, suivre un chemin (impasse du Mont Sarrazin) en appuyant à gauche jusqu'à une petite clairière au niveau d'une sablière (500 m).

A pied : de Nemours, suivre le GR 13 qui parcourt la crête du Mont Sarrazin.

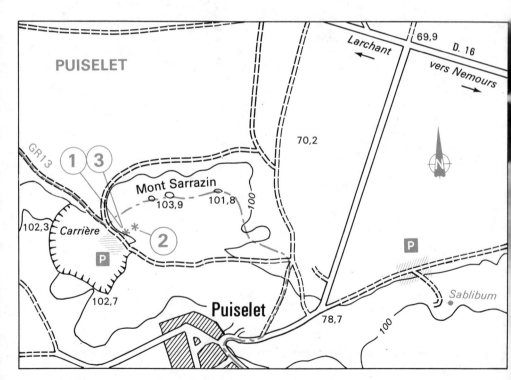

LES CIRCUITS

- **Orange** *AD* n° 1 **:** *cf.* page 151.
- **Noir** *D / D* + n° 2 **:** 36 numéros. Auteur : Jacques Vayr, du C.A.F. Passages exposés, très variés et souvent athlétiques avec beaucoup d'allure. Les numéros 8 et 13 (pitons) ont entraîné une surcote de l'ensemble du circuit. Il sera repeint en bleu.

Départ : de la clairière de stationnement, prendre une sente montante vers le nord-ouest qui conduit en 80 m au départ situé en contrebas du gros bloc de la Trois Pitons.

- **Noir/blanc** *ED* n° 3 **:** 33 numéros + 3 *bis*. Auteurs : Edy Boucher, Bruno Karaboghossian et Olivier Letarouilly.

Par rapport aux circuits Noir des Gros Sablons et de Malesherbes, ce circuit représente une étape supplémentaire dans la recherche de la difficulté dans l'exposition. Après l'ouverture, précisons que tous les passages ont été refaits sans assurage.

Départ : de la clairière de stationnement, prendre la sente comme pour le circuit n° 2. Départ sur le premier gros bloc, 15 m à gauche.

Vers le Bas-Bréau

149

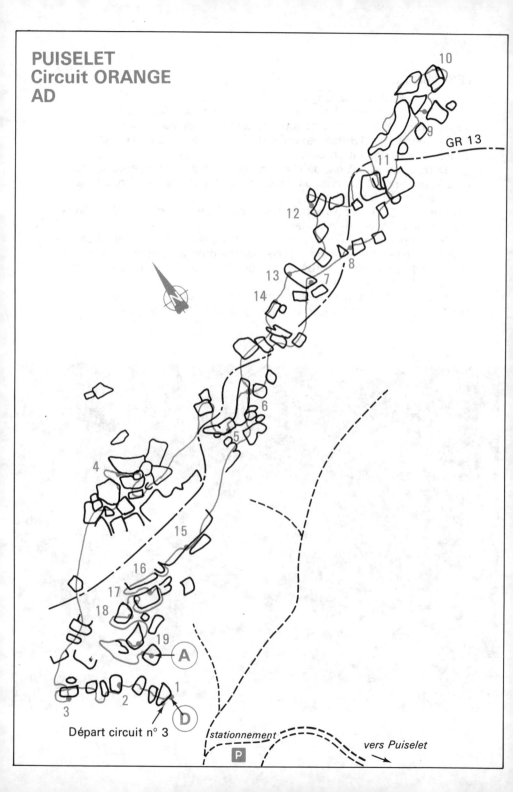

• Circuit Orange *AD* n° 1

Tracé par Pierre Bontemps, du C.A.F., c'est un circuit assez court avec de beaux passages en dalles, cheminées, fissures, souvent exposés sur le pignon ouest. Une corde est recommandée pour l'assurage. Agréable par temps sec, l'escalade est rendue délicate en face nord par temps humide en raison du lichen.

ACCÈS AU CIRCUIT
Du parking, prendre une sente qui monte en direction du nord-ouest. Départ sur le premier bloc, 15 m à gauche.

COTATIONS

1	III	Le départ	11	II	La cheminée de l'électricité
2	III +	La traversée	12	III	L'escalier de la vieille fille
3	IV −	La dalle brûlée	13	III	La descente des singes
4	II	La grande cheminée	14	II	La belle arête
5	III −	La roche feuilletée	15	III −	La cheminée de la grotte
6	II +	Le bilboquet	16	III +	Le tiroir
7	III −	La dalle des singes (sud)	17	III +	Le souvenir
8	III	La rampe	18	III −	La patinette
9	III −	Le genévrier	19	III −	La dalle du bolide
10	II	La vierge			

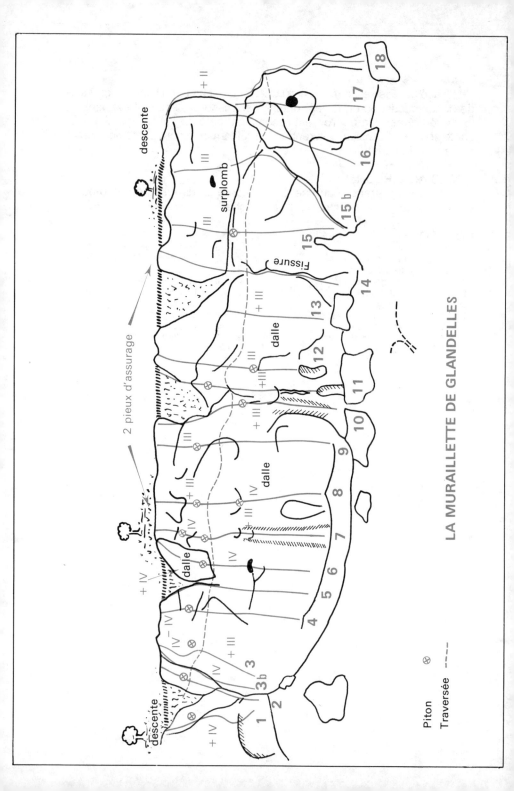

LA MURAILLETTE DE GLANDELLES

Piton ⊗

Traversée - - - -

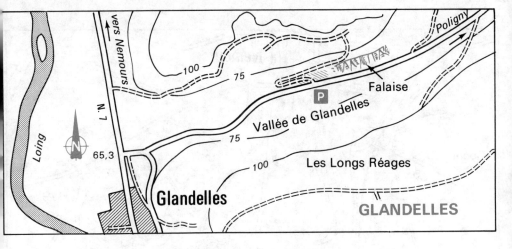

LA MURAILLETTE DE GLANDELLES

Cette petite falaise (6 à 8 m de hauteur) de poudingue de Nemours (Sparnacien) se trouve dans la très tranquille vallée de Glandelles. Un ensemble de voies, en moyenne assez difficiles, y a été fléché par MM. Alzieu et Fougère. Elle peut servir d'intermédiaire entre Bleau et la haute école, car les voies sont verticales, avec sorties surplombantes (impressionnantes mais avec de grosses prises solides).

Elle sèche vite, étant exposée au sud. Tous les pitons de protection sont en place (ne pas en ajouter de nouveaux ; en cas de difficulté, la roche se prête bien à l'utilisation de coinceurs). L'escalade y est assez athlétique.

Matériel nécessaire : corde de 15 à 20 m, 3 à 4 sangles, 6 mousquetons (10 pour la traversée).

Éviter de grimper en *vibram* pour ne pas détériorer les prises.

ACCÈS

De Nemours, suivre la N 7 vers le Sud. Tourner à gauche juste avant Glandelles (6 km). Prendre la route de Poligny (est). Parking à gauche, dans la vallée, en face des maisons, dans l'entrée d'un chemin de terre barré par de gros blocs. La Muraillette se trouve 50 m plus loin.

COTATIONS

1	*D* +	La Crapouillo (1 piton)
2	*AD*	La Mercollateur (1 piton)
3	*D* −	La bidule (1 piton)
3b	*D*	Le pilier gauche
4	*D* −	La drôle (1 piton)
5	*AD* −	La patate
6	*D*	La clarinette (1 piton)
7	*D* −	L'extra (2 pitons)
8	*D*	Le piston (2 pitons)
9	*D* −	La directe (2 pitons)
10	*AD*	La dièdre A (1 piton)
11	*D* −	La bête (1 piton)
12	*AD* −	La bidouille (1 piton)
13	*AD* +	La paquerette
14	*AD* −	Le planeur
15	*AD*	La fourmi verte (1 piton)
15b	*AD* −	L'oubliée
16	*PD* −	La bassine
17	*PD* −	Le pilier droit
18	*F*	L'escalier
T	*D* −	La grande traversée 6/8 pitons

153

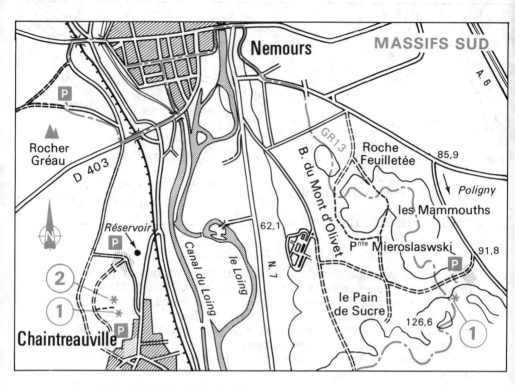

MASSIFS SUD

Dans la région de Nemours, on trouvera des groupes de rochers d'escalade intéressants, dont le Rocher Gréau. Chaintreauville et la forêt communale de Nemours. Tous ces massifs sont facilement accessibles de Nemours.

ROCHER GRÉAU : ce massif est composé de très hauts blocs
lichéneux techniquement intéressants, mais très exposés.

ACCÈS

De la gare de Nemours, prendre à droite la direction de Larchant. Après le passage à niveau, tourner immédiatement à gauche et suivre une route en biais à droite, sur 500 m. Tourner ensuite à gauche et stationner 300 m plus loin environ. A pied, on peut rejoindre ce massif par le GR 13.

CHAINTREAUVILLE : ce massif est situé sur une butte, au nord-
ouest de Chaintreauville, aux flancs assez broussailleux mais dont le plateau sommital est bien dégagé. Les plus hauts blocs se trouvent au sud et sud-ouest du plateau.

ACCÈS

De Nemours, prendre la D 403 vers le sud-ouest. Tourner à gauche dans Nemours après le pont du canal en direction de Chaintreauville. Immédiatement avant le panneau d'entrée du village, prendre une petite route à droite et stationner 150 m plus loin au pied d'un château d'eau. Suivre vers le sud le chemin de droite (ouest). 250 m plus loin prendre un bon sentier à gauche.

LES CIRCUITS

• **Blanc *PD / AD* n° 1 :** assez inégal ; il est actuellement (janvier 86) encombré de ronces et de lichens.

Départ : une quarantaine de mètres à droite du sentier d'accès.

• **Blanc *E /F* n° 2 :** non numéroté ; forme une boucle au sommet du pignon, sèche vite. Ce circuit, tracé en 1985 par un inconnu, semble destiné à des préadolescents déjà expérimentés encadrés par des grimpeurs confirmés ; il appelle les *plus expresses réserves quant à la sécurité avec des collectivités d'enfants.*

Départ : sur la bordure gauche du sentier.

ROCHERS DE NEMOURS : petit ensemble de blocs sur le flanc nord des Friches de Poligny.

• **Vert *AD +* n° 1 :** Peu soutenu, assez inégal et pour grimpeurs de grande taille.

ACCÈS AU CIRCUIT

Du pont de Nemours, suivre la N 7 sur 300 m. Tourner à gauche en direction de Sens jusqu'au niveau du musée régional de la Préhistoire. Tourner ensuite à droite vers Poligny. Stationnement à droite de la route 700 m plus loin. De là, suivre un chemin forestier vers l'ouest qui croise le GR 13 et prendre à gauche. Le départ se trouve sur un rocher en bordure gauche 150 m plus loin.

A pied, on peut rejoindre ce massif par le GR 13.

ROCHE DU SAULT : à 8 km à l'est du Long Rocher, de l'autre côté du Loing et à proximité de Villecerf, on trouvera une curiosité : la Roche du Sault. Quelques belles voies de libre et d'artificiel. Assurage en place.

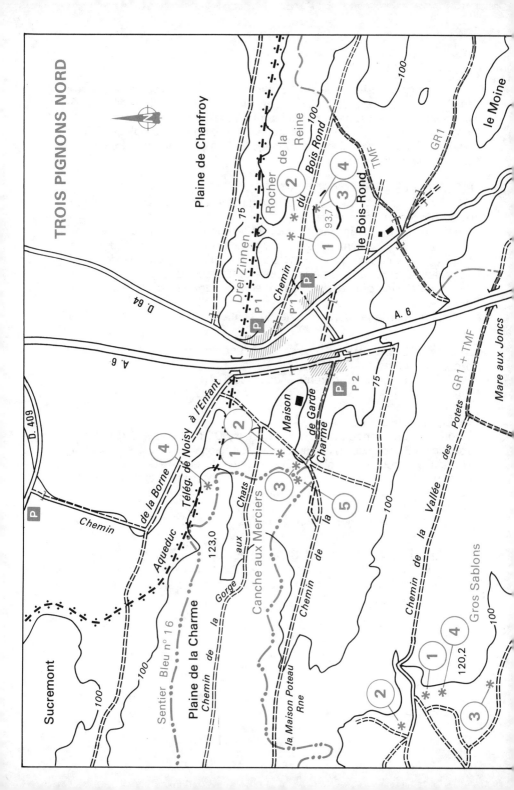

FORÊT DOMANIALE
DES TROIS PIGNONS

Pour faciliter la présentation et la cartographie, le massif des Trois Pignons a été divisé en trois secteurs géographiques : nord, centre et sud.
Nous ne parlerons pas ici du Coquibus qui, à la demande des associations et de l'O.N.F., ne fera l'objet d'aucun balisage pour conserver son caractère agreste et sauvage, bien sympathique.

TROIS PIGNONS NORD

La percée — et la présence sonore — de l'autoroute A 6 est un élément malheureusement remarquable de cette zone.
Comme les autres massifs des Trois Pignons, c'est une lande à bruyères, clairsemée de bouleaux et de pins maritimes. L'ensemble, à part le groupe du Télégraphe, sèche très vite après la pluie.
La partie ouest — Canche aux Merciers et Télégraphe — est un terrain militaire (accès autorisé au public) où les manœuvres peuvent gêner considérablement les grimpeurs, et troubler la quiétude du randonneur.

ACCÈS AU MASSIF
En voiture : quitter l'autoroute A 6 direction Fontainebleau ; 4 km plus loin, prendre la direction de Fleury-en-Bière (D 50), que l'on traverse, puis la direction d'Arbonne, où l'on rejoint la D 409, qu'il faut prendre à droite sur 200 m. Prendre à gauche la D 64 vers Achères. Stationner immédiatement après le virage où elle côtoie l'autoroute (P1). 200 m plus loin, sur la droite, un chemin goudronné passe sous l'autoroute et conduit au parking P2. (Parking P'1, en face du départ du chemin goudronné, à gauche de la D 64.)
A pied : l'ensemble du massif étant éloigné de tous moyens de transport, on rejoindra par le GR1, le GR11 ou le T.M.F. les lieux précités.

ROCHER DE LA REINE/93,7 (Bois-Rond)

- Jaune *PD* + n° 1 : *cf.* page 163.
- Orange *AD* n° 3 : 37 numéros + 2 *bis*. Auteur : André Schwartz. Intéressant, varié, très technique, peu exposé et peu athlétique (sol souvent gras).

  Départ : de P1, suivre vers l'est le chemin du Bois-Rond sur 500 m. Le départ se trouve à 40 m à droite sur un gros bloc à mi-hauteur d'une bosse (93,7).
- Bleu *D* + n° 2 : 57 numéros + 5 *bis*. Auteur : Jean-Pierre Bertigny. Intéressant, varié, très souvent athlétique, il parcourt le chaos sud du Rocher de la Reine et sèche très vite.

  Départ : de P1, suivre le chemin du Bois-Rond sur 450 m environ. Le départ se trouve sur la gauche une trentaine de mètres après celui du circuit Jaune n° 2.
- Bleu *D* + n° 4 : *cf.* page 165.

DREI ZINNEN

On trouvera dans ce massif, qui présente quelques hauts blocs aux passages lichéneux et exposés, les restes d'un vieux circuit Rouge *D* + intéressant qui était un classique des années cinquante.

CANCHE AUX MERCIERS ET TÉLÉGRAPHE

- Blanc *enfant* n° 5 : 33 numéros + 6 *bis*. Auteurs : Louis Louvel et Michel Coquard. Déjà un grand classique !

  Départ : de P2, suivre le chemin en partie goudronné vers l'ouest sur 250 m, puis traverser l'étendue sableuse par le sentier Bleu n° 16, qui conduit en 50 m au départ (*cf.* page 19).
- Jaune *PD* – n° 3 : 41 numéros + 5 *bis*. Bon circuit classique d'initiation, jamais exposé.

  Départ : de P2, suivre le chemin en partie goudronné vers l'ouest sur 250 m (chemin de la Charme). Le départ se trouve sur un petit bloc au nord d'une étendue sableuse.
- Orange *AD* n° 2 : 41 numéros + 3 *bis*. Auteurs : Monique Fédoroff et MM. Fédoroff, Laloup, Nédélec et Schwartz. C'est un classique de l'escalade de moyenne difficulté. Très intéressant, peu exposé.

  Départ : du départ du Jaune n° 3, traverser le massif vers le nord-est sur 80 m. Le départ se trouve sur un bloc en bordure d'une étendue dégagée.

La Vallée Close. Trois Pignons ▶

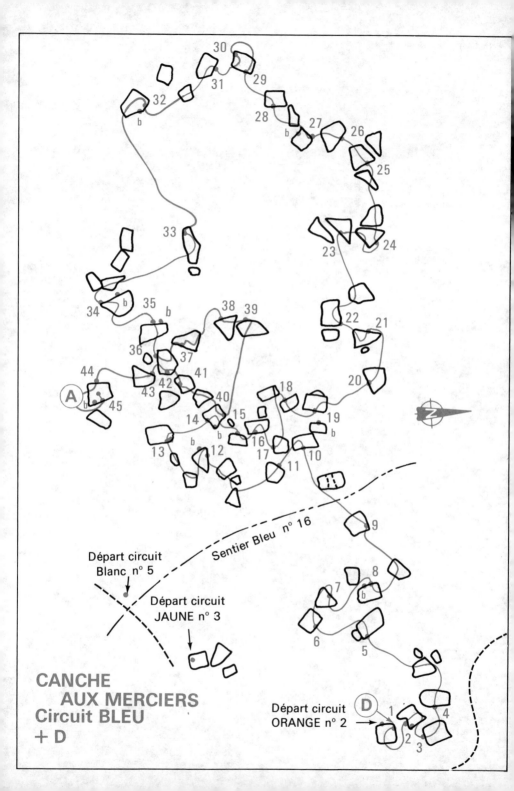

CANCHE
   AUX MERCIERS
Circuit BLEU
+ D

• **Bleu** *D – / D* n° 4 : 41 numéros + 1 *bis*. Auteur : Club montagne de Sainte-Geneviève-des-Bois (F.S.G.T.). Il parcourt le rempart et quelques blocs situés en flanc nord de la pointe de la plaine de la Charme (platière étroite). Suite de passages variés plutôt que circuit, assez inégaux et parfois exposés, elle mérite une fréquentation supérieure (ruine d'une tour du télégraphe Chappe, au niveau du n° 17).

Départ : de P2 par le chemin de la Charme (ouest), puis le sentier Bleu n° 16. Le suivre à droite vers le nord (il coupe les autres circuits) jusqu'au sommet du premier pignon. Départ à l'angle nord-est.

• **Bleu** *D +* n° 1

Tracé en même temps que l'Orange n° 2 en 1966 par Monique Fédoroff et MM. Fédoroff, Laloup, Nédélec et Schwartz, ce circuit est un classique de ce niveau de difficulté. Toujours extérieure, l'escalade y est quand même très variée (dalles, grattons, surplombs). Si les blocs sèchent vite, le sol terreux, qui garde l'humidité, nécessite l'usage d'un tapis. Pour les observateurs attentifs, un n° 46 (la fissure du soleil) pourra servir d'arrivée originale ! (V −/V).

ACCÈS AU CIRCUIT

De P2, suivre le chemin de la Charme vers l'ouest sur 250 m. Au nord d'une grande étendue sableuse, prendre une sente qui traverse le massif vers le nord-est. Le départ se trouve 80 m plus loin, en bordure d'une zone dégagée.

COTATIONS

1	IV +	16b	IV	32	IV
2	IV +	17	V −	32b	V +
3	IV	18	IV −	33	IV
4	IV +	19	V	34	IV
5	IV −	19b	V	34b	IV +
6	IV −	20	IV −	35	V −
7	IV +	21	III +	35b	V +
8	V −	22	IV	36	III
8b	V	22b	IV	36b	IV
9	IV −	23	IV +	37	III
10	IV	24	III +	38	IV −
11	IV	25	V −	39	IV +
12	IV −	26	IV	40	III +
12b	IV −	27	IV +	41	IV
13	III +	27b	IV	42	IV
14	IV	28	IV	43	IV
14b	V	29	IV	44	III +
15	IV +	30	III +	45	V −
16	IV +	31	V −	45b	IV

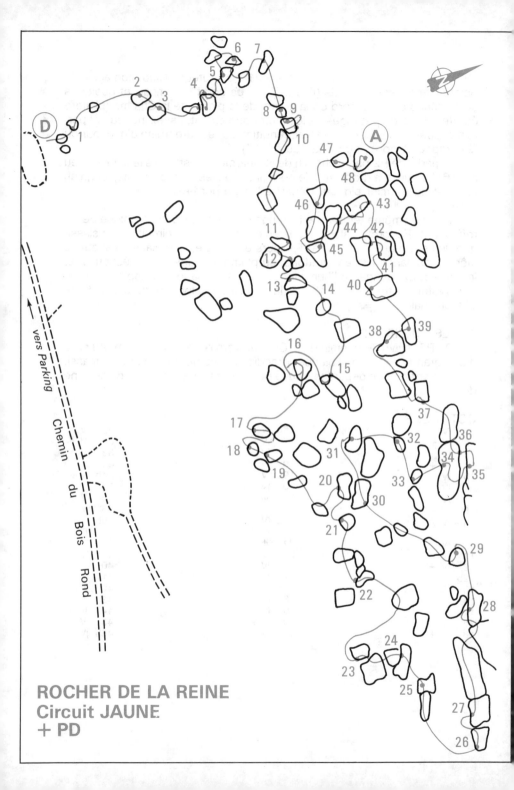

ROCHER DE LA REINE
Circuit JAUNE
+ PD

• Circuit Jaune *PD+* n° 1

Ce circuit assez homogène, tracé par Anne-Marie Bertigny, utilise très bien le massif. Peu exposé et peu athlétique (sauf les n°s 5 et 14), il est technique et très intéressant comme « circuit école » par la variété de ses passages : dalles, surplombs, cheminées, etc. Certaines descentes comportent des sauts, mais ils peuvent tous s'éviter. Près du n° 39, un magnifique point de vue mérite le détour.

ACCÈS AU CIRCUIT

De P1, suivre le chemin du Bois-Rond sur 450 m. Le départ se trouve sur un petit bloc, 10 m à gauche.

COTATIONS

1	II	25	II
2	II −	26	III +
3	II −	27	II +
4	II +	28	II −
5	III +	29	I +
6	II −	30	I
7	II	31	III −
8	II −	32	II
9	II −	33	II
10	II	34	II −
11	II	35	III
12	III −	36	II
13	II +	37	II −
14	III	38	III −
15	II	39	II
16	III +	40	II −
17	III +	41	II +
18	II −	42	II −
19	III −	43	I
20	II +	44	II
21	III −	45	II −
22	I +	46	II −
23	II	47	II −
24	II	48	III −

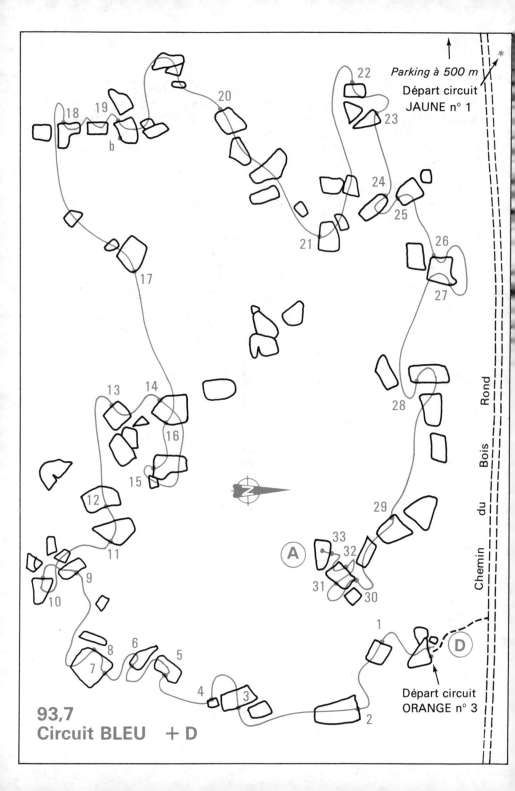

Parking à 500 m
Départ circuit
JAUNE n° 1

22
23
20
18   19
b
24
25
21
26
27
17

28

Chemin   du   Bois   Rond

13   14
16
15
12
11
29

Z

33
A   32
31   30

9
10

1
8   6
7   5
D
4   3
Départ circuit
ORANGE n° 3
2

93,7
Circuit BLEU   + D

• Circuit Bleu *D+* n° 4

Tracé en 1977 par André Schwartz, ce circuit est à peu près parallèle à l'Orange n° 3 et présente les mêmes caractéristiques : intéressant, varié, très technique, peu exposé, peu athlétique. Le sol y est malheureusement souvent gras.

ACCÈS AU CIRCUIT

De P1, suivre vers l'est le chemin de Bois-Rond sur 500 m. Le départ se situe 40 m à droite sur un gros bloc (départ de l'Orange) à mi-hauteur d'une bosse.

COTATIONS

D	IV		18	IV −
1	V		19	V −
2	V +		19b	IV
3	IV +		19b	IV
4	IV		20	IV
5	IV		21	IV +
6	IV +		22	IV +
7	IV +		23	IV
8	IV		24	V
9	V −		25	V
10	IV +		26	IV +
11	IV		27	IV +
12	IV +		28	V
13	IV +		29	IV
14	IV +		30	V −
15	IV		31	V
16	IV +		32	IV −
17	V −		33	V −

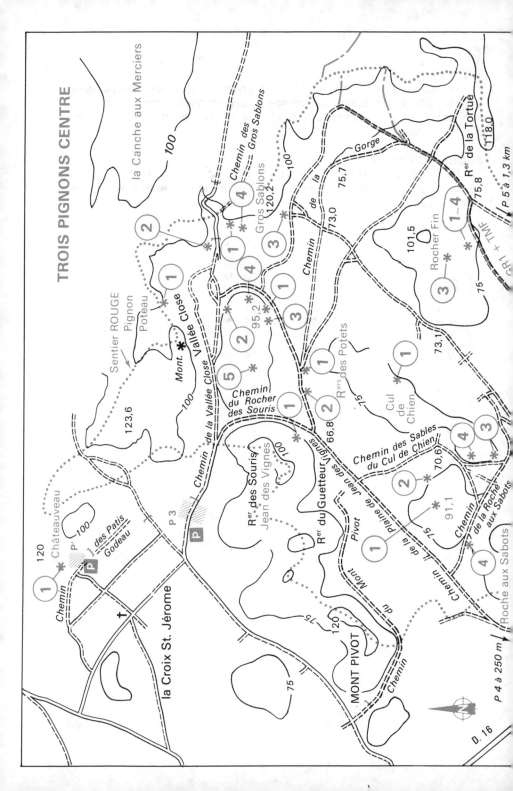

TROIS PIGNONS CENTRE

A part Chateauveau (qui présente les mêmes caractéristiques), le massif d'escalade des Trois Pignons Centre est situé dans ou en bordure du célèbre cirque des Trois Pignons. Les groupes rocheux sont nommés par les grimpeurs : Pignon Poteau, 95,2, Gros Sablons, Jean des Vignes, Rochers des Potets, Cul de Chien, 91,1 et Rocher Fin.

Ce sont tous des chaos de blocs plus ou moins denses sur des pignons sableux parfois couverts de bruyère et d'une végétation clairsemée (pins et bouleaux). Dans leur ensemble, les rochers sont bien exposés au vent et sèchent très vite après la pluie.

ACCÈS AU MASSIF

En voiture : de l'autoroute A 6, sortir vers Fontainebleau et prendre la direction de Cély et de Milly-la-Forêt par la D 410/D 372. De Milly, prendre la D 141E/D 16 (direction Le Vaudoué). Pour le parking dit de « La Croix-Saint-Jérôme » (P3), 2,2 km après Milly, prendre à gauche la route des Grandes-Vallées puis, 1,1 km plus loin, une route à droite conduisant à la Croix-Saint-Jérôme (panneau). Continuer tout droit. Prendre en oblique à gauche le chemin de la Vallée Close, qui mène à P3 (barrière O.N.F.). Pour le parking dit du « Cimetière » (P4), continuer la D 16 sur 1,9 km. Tourner à gauche, le parking se trouve *après le cimetière de Noisy.*

A pied : par le GR 1, le GR 11, le T.M.F. ou le sentier des Trois Pignons, rejoindre P3 ou P4.

LES CIRCUITS

CHATEAUVEAU

• Jaune *PD+* n° 1 : *cf.* page 173.

PIGNON POTEAU

Ce massif, fort bien exposé, est constitué de petits chaos situés sur les flancs de la platière de la Charme.
• Jaune *PD−* n° 1 : *cf.* page 175.

95,2

Ce massif est un de ceux qui posent le plus de problèmes d'érosion.
• Jaune *PD+* n° 4 : 41 numéros. Auteur : U.S.I. (F.S.G.T.). Long, intéressant et technique, il parcourt tout le pignon est du 95,2. Il est peu exposé, sauf l'arrivée n° 41 qui peut nécessiter un rappel pour la descente. Il sera prochainement modifié.

Départ : de P3, suivre le chemin de la Vallée Close sur 1 km. Longer la base du pignon de droite (95,2). Le départ se trouve sur un gros bloc près de l'endroit où le sentier tourne vers le sud-est.

• Orange *AD/AD+* n° 5 : 50 numéros + 3 *bis*. Auteurs : Frédéric Dulphy et Laurent Maine. Long, technique, peu exposé et peu athlétique.

Départ : de P3, prendre le chemin de la Vallée Close sur environ 800 m. Un sentier à droite (sud) permet de passer entre les deux pignons du 95,2. Suivre alors à droite la base du pignon ouest. Départ sur un petit bloc au bas de la pente.

• Bleu *D* n° 1 : *cf.* page 177.

• Rouge *TD − /D+* n° 2 : 47 numéros + 12 *bis*. Tracé en 1959 par Monique Fédoroff, Gérard Frich, Pierre Nédélec et modifié par Oleg Sokolsky en 1981. Assez long, varié, technique, assez athlétique et homogène, il est peu exposé.

Départ : de P3, suivre le chemin de la Vallée Close sur 900 m. Le départ se trouve sur le premier gros bloc, 50 m à droite du chemin (sud).

• Blanc *ED − /TD+* n° 3 : *cf.* page 179.

GROS SABLONS

• Orange *AD/AD −* n° 2 : 38 numéros + 7 *bis*. Beau circuit de longueur moyenne tracé sur la pente sud-ouest de l'avancée de la platière des Gros Sablons qui ferme la Vallée Close. Technique et peu exposé. Sa partie centrale sèche lentement. Magnifique point de vue à l'arrivée.

Départ : de P3, suivre la route de la Vallée Close sur 1,1 km. Le départ se trouve sur les premiers gros blocs au pied de l'avancée quelques dizaines de mètres avant et à gauche d'une route goudronnée.

• Orange *AD+* n° 1 : *cf.* page 180.

• Bleu *D+* n° 4 : 65 numéros + 13 *bis*. Auteur : Pascal Étienne, du Club montagne de Sainte-Geneviève-des-Bois (F.S.G.T.). Ce beau parcours, long, varié et inégal sera prochainement modifié (1986).

Départ : du début de la route goudronnée (*cf.* Orange n° 2), obliquer à droite et traverser une pinède. A son extrémité, départ sur un grand bloc.

• Noir/Blanc *ED −* n° 3 : *cf.* page 183.

JEAN DES VIGNES

C'est un massif situé au pied du pignon Jean des Vignes (l'un des *Trois Pignons*). Il est peu fréquenté, tranquille et une partie est couverte de pins (ombre).

• Rouge *D − /D* n° 1 *dit l'Hétéroclite* : 35 numéros. Auteurs : R. Dadone, R. Mizrahi et Y. Tugaye. C'est le seul circuit du massif. Inégal et un peu fastidieux.

Départ : de P3, suivre le chemin de la Vallée Close sur 300 m. Prendre ensuite en oblique à droite (sud-est) le chemin du Rocher des Souris. Le départ se situe 350 m plus loin, à 20 m à droite du chemin.

17. Pas de danse au 91,1 - *Trois Pignons*. De l'entraînement alpin aux jeux acrobatiques : **18**. "Arête de Larchant" - *Dame Jouanne*. **19**. "Toit du Cul de Chien" - *Trois Pignons*.

◄20. Jeux de lumière à l'automne. *Rocher Canon.* De fissures en surplombs :
21. Sur le Noir du Bas-Cuvier. 22. "Toit du Cul de Chien" - *Trois Pignons.*
23. Jusqu'à la douleur : "La Poincenot" : au 95,2 - *Trois Pignons.*

Le Bilboquet du Cul de Chien. Trois Pignons.

ROCHERS DES POTETS

Massif constitué de nombreux petits rochers éparpillés sur une « plaine sableuse », très propice aux jeux d'enfants et à l'initiation à l'escalade. Magnifique panorama sur le cirque des Trois Pignons et un auvent aux gravures rupestres réputées.

• **Jaune** *PD* n° 1 : 42 numéros. Auteurs : créé par des inconnus il a été nettement prolongé par MM. Beauregard (A.A.F.F.), Remauf, Théate (T.C.F.). Il est intéressant, très technique, assez soutenu et surtout peu exposé ce qui en fait un excellent circuit d'initiation.

Départ : de P3, suivre le chemin de la Vallée Close sur 300 m ; obliquer à droite (sud-est) par le chemin du Rocher des Souris. 500 m plus loin, au débouché sur la plaine, prendre à gauche le chemin de la Plaine de Jean des Vignes qui serpente à travers de petits rochers. A la première bifurcation, prendre un petit sentier en oblique à droite (sud-est) qui conduit en 40 m au départ.

• **Orange** *AD* n° 2 : 36 numéros + 3 *bis*. Un peu inégal, c'est un circuit technique et souvent très athlétique. Quelques très beaux passages.

169

Départ : *cf.* Jaune n° 1. Le départ se situe sur un bloc en bordure droite du chemin de la Plaine de Jean des Vignes à l'endroit où ce dernier traverse la zone rocheuse.

CUL DE CHIEN

C'est un massif très fréquenté constitué de groupes de rochers répartis sur trois ondulations sableuses très ensoleillées. La faible hauteur des rochers, des chutes en général excellentes et l'existence de nombreuses voies de tous niveaux expliquent le succès de ce massif.

• Jaune *PD* + n° 3 : *cf.* page 185.

• Bleu *D* — n° 1 : 50 numéros + 13 *bis.* Ce très beau et classique circuit est le résultat du regroupement des anciens parcours Jaune, créé par Pierre Granier et Pierre Nédélec en 1957, et Vert, tracé par Bernard Canceill. Il est long, un peu inégal, peu exposé, parfois physique et toujours très technique.

Départ : de P4, suivre le chemin de la Plaine de Jean des Vignes. 500 m plus loin, prendre le chemin de la Roche aux Sabots en oblique sur la droite, qui conduit à une première grande étendue de sable. Laisser le Bilboquet à droite (rocher très caractéristique), passer un petit col sableux ; appuyer alors sur la droite (est) et traverser une dépression entre les deux « bosses » du Cul de Chien ; on rejoint un chemin que l'on prend vers la gauche en longeant une étendue sableuse ; continuer droit à travers une pinède parsemée de gros rochers que parcourt le circuit. Le départ se situe sur le bloc au bout de la pinède.

• Rouge *TD/TD* + n° 4 : 30 numéros + 2 *bis.* Auteur : section montagne de Choisy-le-Roi (F.S.G.T.). Circuit un peu inégal, athlétique et varié qui présente quelques très beaux passages dont le célèbre Toit du Cul de Chien.

Départ : il se trouve sur un gros bloc 50 mètres après le Bilboquet (*cf.* circuit n° 1).

91,1

Massif très classique formé de rochers en général peu élevés au sommet d'une bosse bien dégagée et qui, de ce fait, sèchent vite.

• Orange *AD* — n° 4 : 37 numéros. Auteur : section montagne de Sainte-Geneviève-des-Bois (F.S.G.T.). Toujours peu exposé et parfois athlétique, ce circuit propose une suite de passages variés adaptés aux débutants déjà familiarisés à l'escalade.

Départ : de P4, suivre le chemin de la Plaine de Jean des Vignes sur 500 m. Prendre le chemin de la Roche aux Sabots en oblique sur la droite sur 100 m. Le départ se trouve sur un bloc à 40 m à droite du chemin.

• Orange *AD* +/*AD* n° 2 : *cf.* page 187.

• Rouge *TD* — /*TD* n° 1 : 34 numéros + 18 *bis.* Auteurs : Monique Fédoroff et MM. Fédoroff, Laloup, Nédélec et Schwartz en 1966.

Circuit soutenu, très technique, en général peu athlétique et présentant une escalade extérieure variée. Avec les numéros *bis,* c'est un circuit *TD.*

Départ : *cf.* circuit n° 4. Au niveau du départ de ce dernier, prendre une sente en biais à gauche qui monte et qui rejoint le sommet du pignon. Le départ se trouve sur un bloc (n° 11 du circuit Orange n° 2) à l'autre extrémité du plateau, juste avant une petite dépression.

ROCHER FIN

Massif situé au centre des Trois Pignons, il est constitué d'une double bosse sableuse ; les rochers se trouvent sur la bosse sud-ouest.

Seuls les rochers qui sont au sommet du pignon sèchent vite.

• Jaune *PD* n° 3 : 13 numéros. Auteurs : Pierre Bontemps et Jacques Tourancheau. Beau circuit d'initiation un peu court mais varié et peu exposé.

Départ : de P5 (*cf.* Trois Pignons Sud), suivre vers le nord-est le chemin de Melun au Vaudoué. 800 m plus loin, prendre à gauche le GR 1 qui suit le chemin du Rocher Fin. 800 m plus loin, une sente bien marquée monte sur la gauche jusqu'au sommet du pignon où se trouve le départ du circuit (à côté du rocher caractéristique appelé le « Cube » nos 21 et 22 du circuit Rouge *TD* + n° 4).

• Bleu *D* n° 1 : 53 numéros + 13 *bis.* Le circuit initial tracé en 1954 par Pierre Nédélec a été modifié en y incluant des passages du circuit Mauve conçu par Dominique Cazenave. Circuit long, varié, très technique et peu exposé.

Départ : *cf.* circuit Jaune n° 3. Le départ se situe sur un bloc à côté du départ du circuit Rouge n° 4 situé à la base du pignon et à droite de la sente qui conduit au sommet.

• Rouge *TD* + n° 4 : *cf.* page 189.

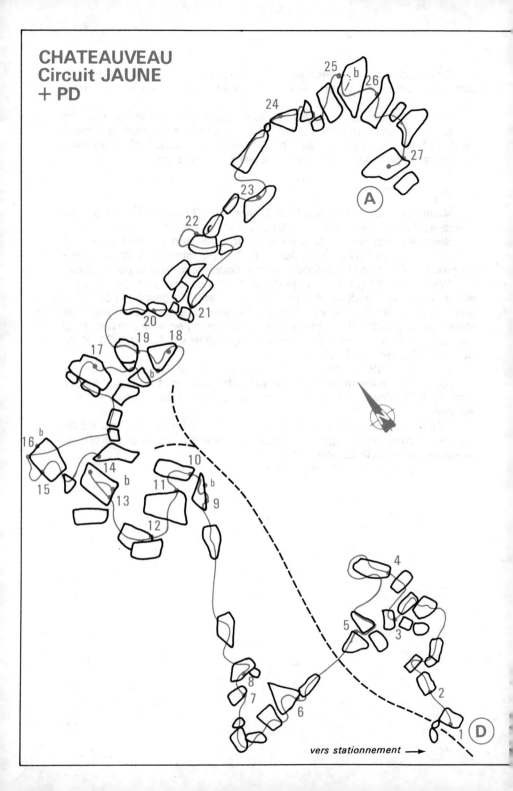

CHATEAUVEAU
Circuit JAUNE
+ PD

vers stationnement →

• Circuit Jaune *PD* + n° 1

Circuit varié, technique, parfois exposé, prolongé et modifié par Oleg Sokolsky. La descente du n° 14 (III +) est assez difficile si l'on n'effectue pas le saut. Une corde peut être utile (un piton au sommet).

Le vallon et la crête où se situent les blocs sont très tranquilles et le panorama au sommet du pignon est magnifique.

ACCÈS AU CIRCUIT

De Milly-la-Forêt, rejoindre la Croix-Saint-Jérôme (voir accès P3). Prendre à gauche (nord-est) l'Allée de Face sur 300 m. Stationnement immédiatement après un tournant prononcé sur la droite. De là, revenir sur ses pas et suivre un chemin sableux qui débute à droite dans le tournant précité. 30 m plus loin, prendre une sente sur la droite qui rejoint le départ du circuit en 60 m.

COTATIONS

1	II −	Thalweg
2	II −	Danseuse
3	II −	Dalle du fond
4	II	Le temps suisse
5	III −	Catacombe
6	II +	La main gauche
7	II	La main basse
8	II	Araignée
9	III	Petons mignons
9b	IV	
10	II +	L'ex-D
11	II +	Fissure de la sorcière
12	II +	Haut le pied
13	II	Grande Dalle
13b	II	
14		Le saut (ou III +)
15	II −	Le talon d'Achille
16	II +	Arête de la baignoire
16b	III +	Face nord
17	II −	L'escalier de service
18	III −	La traversée marbrée
18b	III	La traversée bréemar
19	II −	Débonnaire
20	III −	Balade
21	II −	La porte coincée
22	II +	Dièdre noir
23	II −	La München
24	II	La Berlinoise
25	III	Vire du crabe
25b	III	Haut la main
26	II	Le Nid
27	III	Surplomb du ciboire (à gauche II)

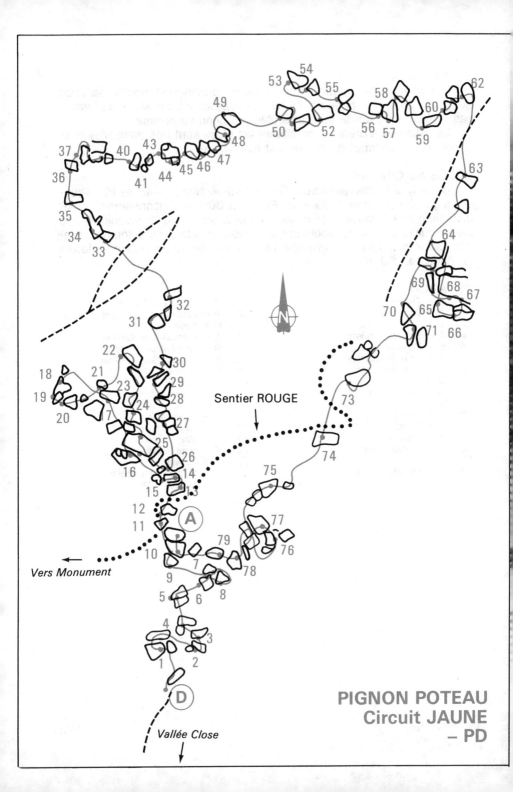

Sentier ROUGE

Vers Monument

PIGNON POTEAU
Circuit JAUNE
– PD

Vallée Close

- **Circuit Jaune *PD* – n° 1**

Le circuit Jaune tracé par Jacques Superbie à partir d'une ancienne ébauche de fléchage permet de dévouvrir de beaux points de vue originaux sur la Vallée Close, la Canche et la platière de la Charme.

Il est long avec une suite de passages courts mais présentant toutes les techniques de l'escalade. Il est peu exposé (sauf du n° 66 au n° 70). Du n° 72 au n° 75, il est presque parallèle au sentier Rouge des Trois Pignons et dévoile des aspects « cavernicoles » inhabituels à Bleau. L'ensemble sèche très rapidement après la pluie, il est devenu un grand classique des Trois Pignons.

ACCÈS AU CIRCUIT

De P3, suivre le chemin de la Vallée Close. Lorsqu'on l'atteint suivre le pied de la bosse portant le monument. Le départ se trouve au tiers de la hauteur de la bosse qui suit, au nord-est, celle du monument (sur la face regardant la Vallée Close et le 95,2) à 1 km du parking.

COTATIONS

1	II −		27	II		54	II −
2	II −		28	II		55	II
3	II		29	II −		56	III −
4	II −		30	II +		57	II −
5	II +		31	II +		58	III −
5b	III −		32	I		59	II
6	II		33	II		60	II
7	II −		34	II		61	II −
8	II		35	I		62	III −
9	II		36	II		63	II −
10	II −		37	III −		64	II −
11	II −		38	II +		65	II −
12	III −		39	II		66	III
12b	IV		40	I +		67	II
13	II		41	I +		68	III −
14	II −		42	I		69	III −
15	III −		43	II +		70	III
16	II −		44	III −		71	II
16b	III		45	III −		72	II
17	II		46	I +		73	II −
18	II −		47	II		74	II −
19	II −		48	II −		75	II −
20	II −		49	II +		76	III −
21	II −		50	II +		77	II −
22	II		51	I −		78	II −
23	III		52	II −		79	II −
24	II		53	II −		80	II −
25	I −					81	III −
26	II					81b	II +

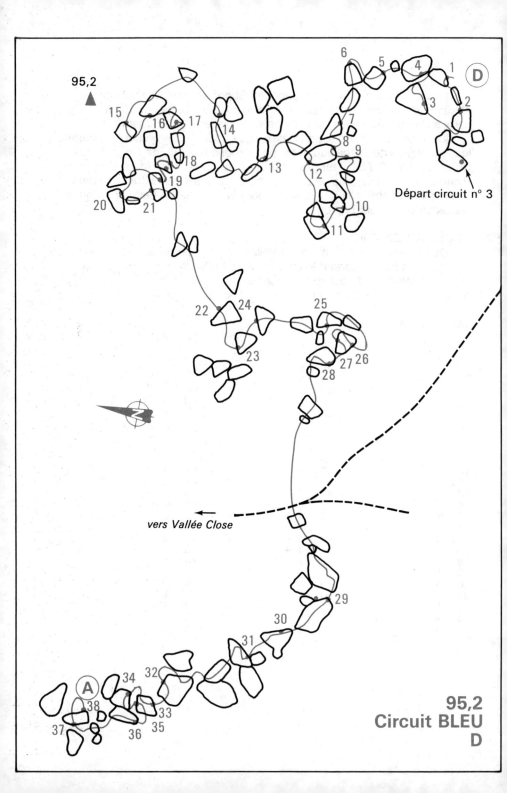

95,2

D

Départ circuit n° 3

vers Vallée Close

A

95,2
Circuit BLEU
D

- **Circuit Bleu** *D* n° 1

   Ce très beau circuit classique a été tracé par Pierre Nédélec en 1955. De longueur moyenne, il est très technique, assez athlétique et peu exposé. Comme tout le massif du 95,2, il sèche très rapidement après la pluie.

ACCÈS AU CIRCUIT

   De Milly-la-Forêt, rejoindre P3. De là, prendre le chemin de la Vallée Close sur 800 m environ. Un sentier à droite (sud) permet de passer entre les deux pignons du 95,2. Par une sente bien marquée, suivre le pied du pignon de gauche. Le départ se situe sur un bloc en contrebas (160 m).

COTATIONS

1	IV		20	III +
2	IV −		21	IV
3	IV		22	III
4	III +		23	IV +
5	IV +		24	IV
6	IV		25	IV
7	III		26	III +
7b	IV −		27	IV
8	IV +		28	IV −
9	IV +		29	IV −
10	IV −		29b	IV −
11	IV −		30	III +
12	IV −		31	III +
13	IV +		32	IV +
14	III +		33	III +
15	IV −		34	IV +
16	IV +		35	IV
17	IV −		36	III +
18	IV		37	III
19	III +		38	IV
19b	IV −			

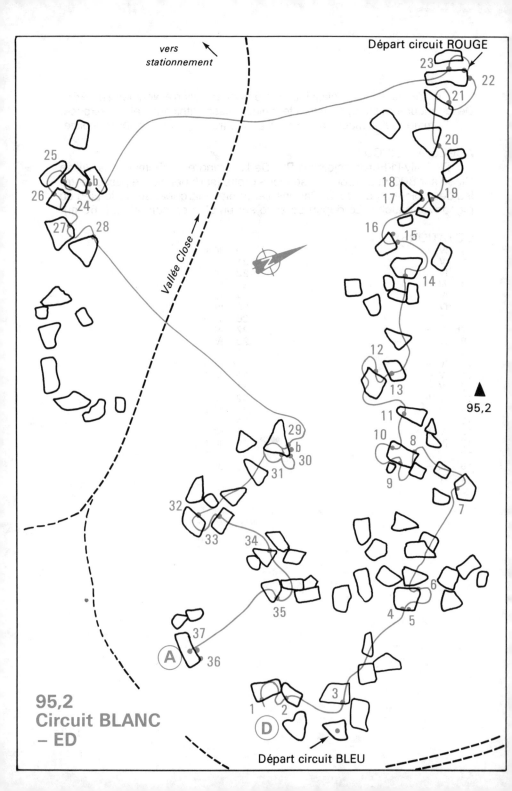

vers stationnement

Départ circuit ROUGE

Vallée Close

95,2

95,2
Circuit BLANC
– ED

Départ circuit BLEU

• Circuit Blanc *ED – /TD +* n° 3

Ce circuit, tracé par Patrick Cordier dans les années soixante-dix et un peu modifié quelques années plus tard, est l'un des plus beaux des Trois Pignons.

Il est en général peu exposé, toujours très technique, varié et toujours très difficile. L'enchaînement des passages de ce circuit est un test pour l'escalade de haute difficulté.

ACCÈS AU CIRCUIT

De Milly-la-Forêt, rejoindre P3. De là, prendre le chemin de la Vallée Close sur 800 m environ. Un sentier à droite (sud) permet de passer entre les deux pignons du 95,2. Par une sente bien marquée, suivre le pied du pignon de gauche. Le départ se situe sur la face surplombante d'un gros bloc 20 m avant celui du circuit Bleu.

COTATIONS

1	V	Le kilo de beurre	20	V	
2	VI –	Le Poincenot	21	V –	
3	V +		22	V	
4	VI –		23	V	
5	VI		24	V +	
6	V –		24b	VI	
7	VI –	(sans l'arête)	25	VI –	
8	V à VI		26	V	
9	V		27	V	
10	VI –		28	V –	
11	V +		29	V +	
12	V +		29b	VI + / VII– Mister Proper
13	V		30	VI –	
14	V –		31	V +	
15	V –		32	VII–	
16	V		33	V +	
17	V +		33b	VI –	
18	VI		34	V +	(morphologique)
19	VI –		35	V	
			36	V	
			37	VI	fissure directe

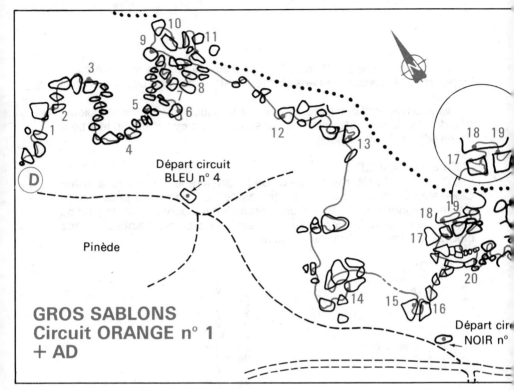

GROS SABLONS
Circuit ORANGE n° 1
+ AD

Départ circuit
BLEU n° 4

Pinède

Départ cir
NOIR n°

- **Circuit Orange *AD+* n° 1**

Tracé par Pierre Nédélec en 1958, ce circuit est à la fois très long, très varié et intéressant. Serpentant sur le flanc sud de la platière des Gros Sablons, il totalise un dénivelé supérieur à celui de l'escalade proprement dite, ce qui en fait un extraordinaire parcours d'entraînement. Les passages sont toujours techniques et plaisants, interrompus par quelques « sections de repos ». Mais le grimpeur fatigué pourra trouver la partie finale trop soutenue.

Comme le Mauve de la Dame Jouanne et l'Orange de l'Éléphant, c'est un excellent test de la forme du grimpeur.

ACCÈS AU CIRCUIT

De P3, suivre le chemin de la Vallée Close sur 1,2 km jusqu'à une route goudronnée. Traverser en biais à droite (sud-est) la première partie de la pinède (100 m environ) et emprunter à gauche une sente qui monte légèrement jusqu'au départ, qui se situe sur les premiers blocs.

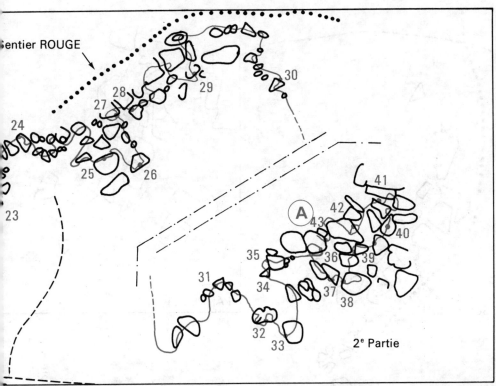

Sentier ROUGE

30
28
29
27
24
25 26
23
A
43 42 41
40
35 36 39
31 34 37 38
32 33
2ᵉ Partie

COTATIONS

1	IV −	
2	IV −	
3	III	
4	IV −	
5	IV −	
6	III	
7	II	
7b	III	
8	IV −	
9	IV −	
9b	III	
10	IV	Le surplomb piqueté
11	III −	
12	IV −	
13	II +	La petite Caroline
14	IV −	
15	IV −	
16	III +	
17	III	
17b	IV	
18	IV −	
19	IV −	La petite piscine
20	IV −	Le surplomb de la vipère
21	II +	La tour de Pise
22	III −	

23	IV	La main haute
23b	IV −	
24	III	
25	II +	La balade
26	II	
27	II +	
27b	IV +	
28	II +	La salle à manger
29	IV −	
30	IV −	Le fer de lance
31	III	
32	III +	
33	II +	
33b	IV −	La ballerine
34	IV	
35	IV	
36	III −	Les trous du gruyère
37	IV	Le coup de sabre
38	III +	
39	III +	
40	II	
41	III	
42	IV −	
43	IV	

Gros Sablons

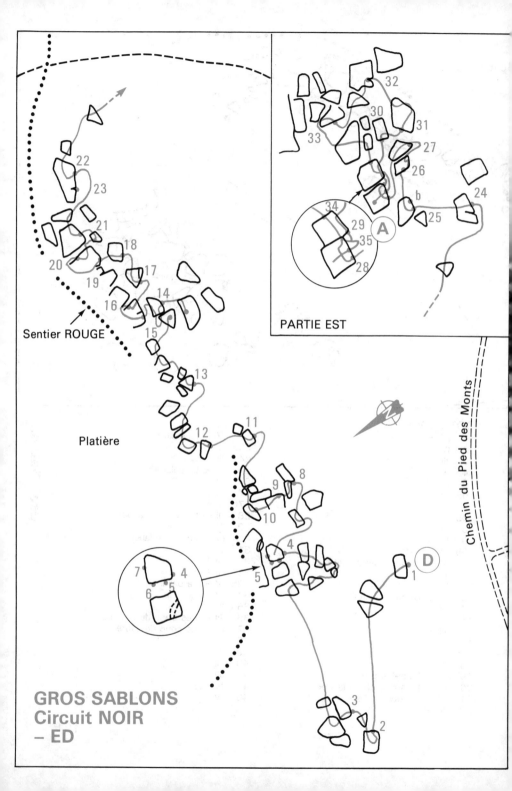

PARTIE EST

Sentier ROUGE

Platière

Chemin du Pied des Monts

**GROS SABLONS
Circuit NOIR
– ED**

- **Circuit Noir/Blanc *ED –* n° 3**

Tracé en 1972 par Jacques Olivet, c'est un circuit remarquable qui parcourt les plus belles voies du rempart et de la Fosse aux Ours (arrivée). Son originalité est d'avoir su combiner l'exposition et la très haute difficulté des passages, peut-être plus que les circuits Noirs du Cuvier-Rempart et de Malesherbes, conçus à la même époque. Un modèle d'inspiration pour les générations futures.

ACCÈS AU CIRCUIT

De P3, suivre le chemin de la Vallée Close. 300 m plus loin, prendre le chemin du Rocher des Souris, qui rejoint le chemin de la Plaine de Jean des Vignes, que l'on suit sur la gauche jusqu'à une bifurcation. Emprunter alors le chemin de la Gorge au Poivre à droite sur 700 m environ. Tourner ensuite à gauche dans un bon chemin qui vient buter sur le chemin du Pied des Monts (sable). Le départ se trouve sur le premier gros bloc à 50 m en oblique sur la gauche.

COTATIONS

1	VI	La Popo	20	IV +	Le treuil
2	V +	La mandarine	21	V +	Le bivouac
3	V –	La râpeuse	22	VI –	L'Éverest
4	V +	La piscine	23	VI	Le suppositoire
5	VI –	L'expolivet	24	VI –	La patinoire
6	IV +	La toile cirée	25	V +	Le hachoir
7	V	L'oubliée	25b	VI –	
8	IV +	La tête	26	V	La Bérézina
9	V	Les jambes	27	IV +	La possible
10	V	La colique	28	V +	L'escalier
11	V +	La main basse	29	V	L'angle gauche
12	V +	La brosse à dents	30	V	La chauve-souris
13	V	L'iguane	31	V	Les parallèles
14	V	Le mobile	32	V –	
15	V +	L'anti-Lerch	33	V	L'ordure
16	V +	La magnésie	34	VI	Bande première
17	V +	Le croque-monsieur	35	VI	La pipicaca
18	VI	La didi	35b	VI	La fissure de la liberté
19	V	La fusée			

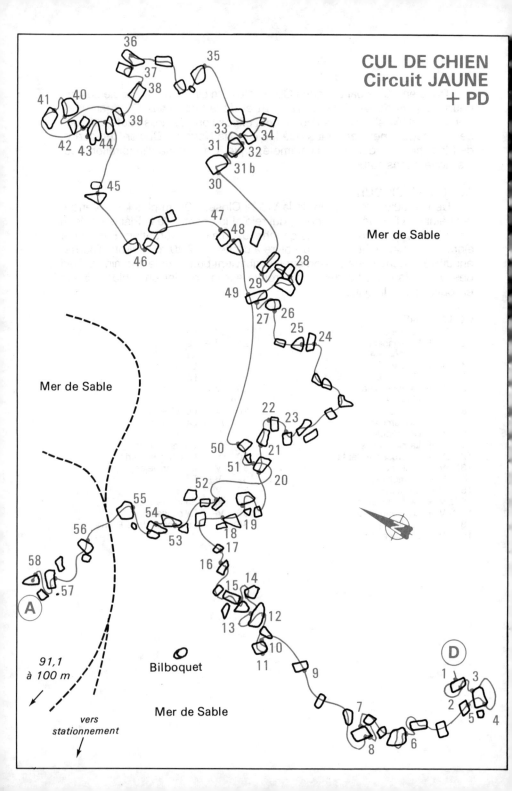

- **Circuit Jaune** *PD+* **n° 3**

Tracé par l'Union Sportive d'Ivry (F.S.G.T.), c'est un circuit très classique et très fréquenté qui propose un grand nombre de passages polymorphes. Il est en général peu exposé. Les grimpeurs non aguerris éprouveront quelques difficultés à le parcourir d'un seul trait.

ACCÈS AU CIRCUIT

De P4, suivre le chemin de la Plaine de Jean des Vignes. 500 m plus loin, prendre à droite le chemin de la Roche aux Sabots. Laisser à gauche une grande étendue de sable. Quitter le chemin à l'endroit où il tourne franchement sur la gauche. Rejoindre deux gros blocs évidents : départ.

COTATIONS

D	II −		31	III −
1	II		32	II
2	II −		33	I +
3	III −		34	II +
4	III +		35	II −
5	II −		36	II
6	II +		36b	II +
7	III −		37	II +
8	II +		38	II +
9	II −		39	II +
10	I +		40	III −
11	II −		41	II
12	III		42	II
13	II		43	III
14	II		44	II
15	II −		45	II −
16	II		46	II
17	I +		47	II +
18	II −		48	III −
19	III −		49	II +
20	II −		50	III
21	II −		51	II +
22	I −		52	III −
23	I +		53	II −
24	II −		54	II −
25	II −		55	III
26	II −		56	II −
27	II		57	II −
28	II +		58	II
29	II +			
30	II −			

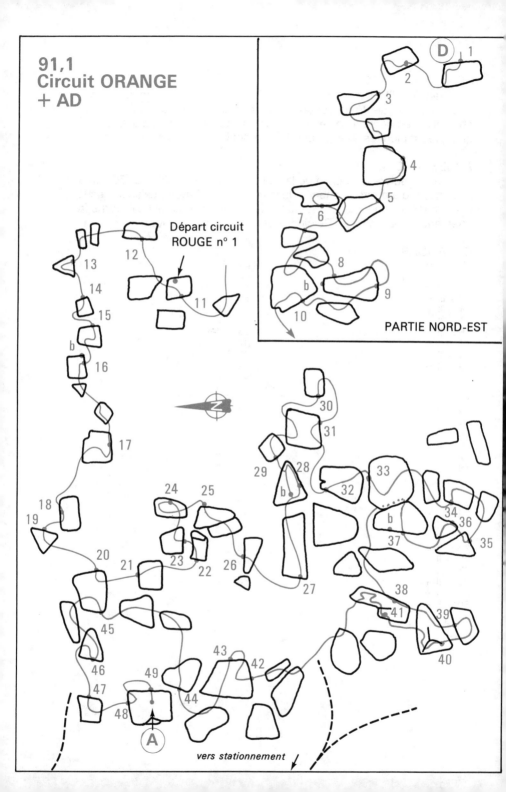

91,1
Circuit ORANGE
+ AD

Départ circuit
ROUGE n° 1

PARTIE NORD-EST

vers stationnement

- **Circuit Orange** *AD+/AD* **n° 2**

Ce circuit conçu en 1966 par Monique Fédoroff et MM. Fédoroff, Laloup, Nédélec et Schwartz, se caractérise par la variété des passages et l'homogénéité de ses difficultés. Il est toujours très technique mais peu athlétique. Quelques passages sont exposés. Une chaîne a été mise en place pour faciliter la descente du n° 28 *bis* qui, en libre, est un III +/IV −. **(S'assurer de la présence de la chaîne.)**

ACCÈS AU CIRCUIT

De P4, suivre le chemin de la Plaine de Jean des Vignes sur 500 m. Prendre le chemin de la Roche aux Sabots en oblique sur la droite sur 100 m. Suivre une sente en biais à gauche qui monte et qui rejoint le sommet du pignon. Le traverser et, par une légère descente, atteindre les gros blocs du flanc nord-est. Le départ se trouve à l'extrémité est de ce groupe.

COTATIONS

1	III −		25b	III +
2	III −		26	IV
3	III +		27	III +
4	III +		28	IV −
5	IV		28b	III +
6	III +		29	III −
7	III		30	III +
8	III +		31	III +
8b	IV		32	III
9	III		33	III −
10	III +		34	II +
11	III		35	III −
12	IV −		36	III −
13	IV −		37	III
14	III +		38	II
15	III −		39	III −
16	IV −		40	III
16b	IV		41	III +
17	II +		42	III −
18	II +		43	III
19	IV +		44	III
20	III −		45	III
21	III		46	III
22	III		47	III
23	III		48	III +
24	IV −		49	IV
25	III +			

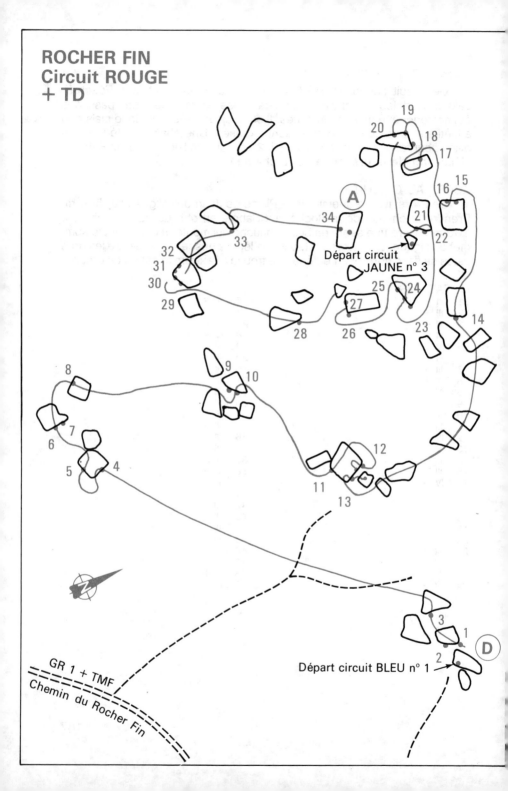

- **Circuit Rouge** *TD+* **n° 4**

Tracé par l'U.S.I. (F.S.G.T.), ce circuit propose un ensemble de belles voies très difficiles, malheureusement sans rocher intermédiaire. Certains passages sont très athlétiques, l'ensemble est en général peu exposé. Les grattons des n°s 17 et 26 sont particulièrement douloureux.

Ce circuit revient vite en condition après la pluie.

ACCÈS AU CIRCUIT

De P5 (*cf.* Trois Pignons Sud), suivre vers le nord-est le chemin de Melun au Vaudoué. 800 m plus loin, prendre à gauche le GR 1 qui suit le chemin du Rocher Fin d'abord vers le nord puis vers le nord-est. 800 m plus loin, une sente bien marquée monte vers le sommet du pignon. Le départ se situe sur un haut bloc à la base du pignon et à droite de la sente qui mène au sommet.

COTATIONS

1	V		18	VI −
2	V +		19	V +
3	IV +		20	VI −
4	IV		21	VI −
5	IV +		22	V +
6	V		23	IV +
7	V +		24	V −
8	IV −		25	IV +
9	V −		26	VI
10	V		27	V +
11	V		28	V −
12	IV +		29	V −
13	V +		30	V −
14	V −		31	IV +
15	IV +		32	IV +
16	V +		33	V
17	VI +		34	V −

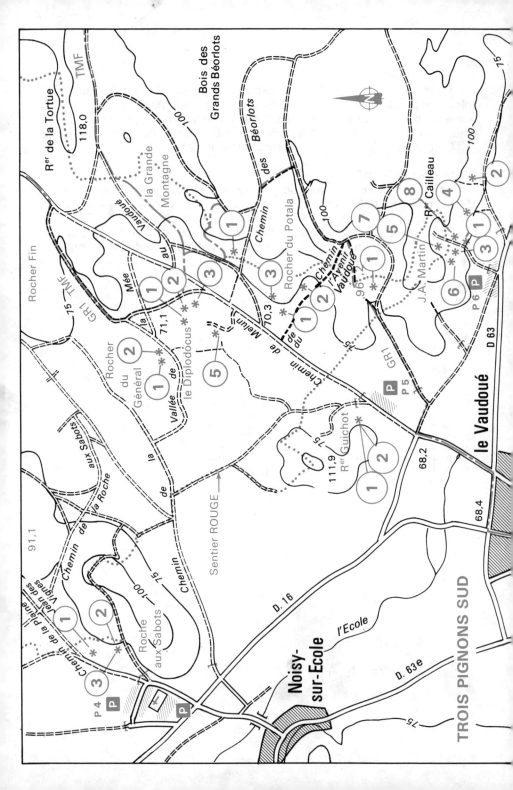

TROIS PIGNONS SUD

Présentant les mêmes caractéristiques du point de vue (
que les Trois Pignons Centre, le massif des Trois Pignons
l'entrée du cirque des Trois Pignons, est constitué des massif
Roche aux Sabots, Rocher du Général (71,1), Diplodocus, Roche
(Vallée de la Mée), Grande Montagne, 96,2, J.A. Martin et Roche   ...ot.

ACCÈS AU MASSIF

En voiture : de l'autoroute A 6, sortir vers Fontainebleau et prendre la direction de Cély puis de Milly-la-Forêt par la D 140/D 372. De Milly, prendre la D 141 E/D 16 (direction Le Vaudoué) jusqu'au carrefour situé à l'entrée du Vaudoué. Tourner ensuite sur la gauche direction Achères (D 63). Pour P5, tourner à gauche 250 m plus loin et emprunter le chemin de la Fontanette (chemin d'abord goudronné puis en terre) jusqu'au parking.

Pour P6, du carrefour à l'entrée du Vaudoué, prendre à gauche la D 63 sur 1,1 km. Le parking se trouve à gauche en contrebas de la route juste avant un léger virage sur la droite.

A pied : par le GR1 ou le T.M.F., rejoindre P5 ou P6.

LES CIRCUITS

ROCHE AUX SABOTS

C'est le Cuvier des Trois Pignons.
- **Jaune *PD+* n° 2** : 31 numéros + 6 *bis.*

Ce circuit, tracé initialement par la F.S.G.T. Sainte-Geneviève-des-Bois, a été considérablement amélioré par Françoise Montchaussé avec la collaboration de Jo Montchaussé et Oleg Sokolsky.

C'est un très beau parcours, particulièrement technique et varié, parfois athlétique mais en général peu exposé.

Il est très fréquenté, ce qui rend très utiles le tapis et le chiffon pour nettoyer les prises.

L'ensemble, assez ombragé, sèche plutôt lentement après une pluie.

Départ : de P4, prendre le chemin qui part à droite du chemin de la Plaine de Jean des Vignes, 200 mètres plus loin, prendre à gauche le sentier Rouge. Le départ est situé sous le surplomb d'un gros bloc près du sentier et 40 mètres après la bifurcation.
- **Bleu *D* n° 1** : *cf.* page 197.
- **Rouge *TD+* n° 3** : 34 numéros + 13 *bis.* Mêmes auteurs que le Jaune, il est très athlétique, très technique et peu exposé. Des variantes d'un niveau nettement supérieur (du VI au VII) sont marquées d'une flèche rouge avec un liseré blanc.

Départ : sur le même bloc que le circuit jaune.

ROCHER DU GÉNÉRAL (71,1)

• Jaune *PD* n° 2 : 24 numéros + 3 *bis*. Ce beau circuit court et varié est un excellent complément au circuit Jaune du Diplodocus tout proche.
   Départ : *cf.* circuit Bleu n° 1.
• Bleu *D+* n° 1 : *cf.* page 199.

DIPLODOCUS

• Vert *PD* n° 5 : ce circuit, très effacé (1985), parcourt le petit chaos du Rocher des Troubadours situé à une centaine de mètres au sud-ouest du Diplodocus.
   Départ : de P5, suivre le chemin de Melun au Vaudoué ; 700 m plus loin, tourner à gauche pour rejoindre le sentier Rouge des Trois Pignons (100 m). Départ sur un bloc au-dessus d'un bivouac.
• Jaune *PD* n° 1 : *cf.* page 201.
• Orange *AD+/AD* n° 2 : 23 numéros + 6 *bis*. Auteurs : Mlle Sylvie Richard et MM. Bau, Dulphy, Maine et Zaegel. Tracé sur de petits blocs (sauf le Diplodocus évidemment), c'est un circuit intéressant, varié et parfois athlétique qui constitue un bon échauffement pour le circuit Bleu *D*.
   Départ : de P5, suivre le chemin de Melun au Vaudoué sur 800 m. Prendre à gauche le chemin du Rocher Fin (GR1 et T.M.F.). 150 m plus loin, prendre à gauche le sentier Rouge des Trois Pignons. Départ sur un bloc en bordure à droite.
• Bleu *D* n° 3 : *cf.* page 201.

ROCHER DU POTALA (Vallée de la Mée)

   Les rochers situés sur le flanc ouest du Rocher du Potala sont bien exposés et sèchent rapidement.
• Orange *AD+/AD* n° 2 : *cf.* page 203.
• Bleu *D* n° 1 : 38 numéros + 9 *bis*. Auteurs : Monique Fédoroff et MM. Fédoroff, Laloup, Nédélec et Schwartz en 1965. Beau circuit intéressant, régulier en difficulté et peu exposé.
   Départ : de P5, suivre le chemin de Melun au Vaudoué. 400 m plus loin, tourner à droite dans un chemin bien marqué, chemin de l'Avenir du Vaudoué, puis, au niveau d'une maison, une sente sur la gauche conduit au premier bloc du circuit.
• Rouge *TD+* n° 3 : 48 numéros + 15 *bis*. Auteurs : Régis Guillaume, Antoine Melchior et Jean-Philippe Nogier. Circuit magnifique, très technique, varié et soutenu.
   Départ : de P5, suivre le chemin de Melun au Vaudoué, 600 m plus loin, prendre à droite le chemin des Béorlots sur une trentaine de mètres puis emprunter un sentier sur la droite (sud-est). Le départ se trouve sur le premier gros bloc à gauche de ce sentier.

LA GRANDE-MONTAGNE

• **Orange** *AD + /D –* n° 1 : 70 numéros + 19 *bis*. C'est le dernier tronçon du super-parcours montagne (cf. page 203). Il a été modifié lors de sa réfection par Antoine Melchior. L'escalade y est très inégale mais variée et technique avec de très beaux passages. Séchant assez rapidement il mérite une fréquentation nettement supérieure.

Départ : de P5, suivre le chemin de Melun au Vaudoué sur 600 m puis à droite le chemin des Béorlots sur 300 m. Le départ se trouve sur un petit bloc à gauche au début de la montée vers la platière des Béorlots.

96,2
Cf. page 206.

ROCHER GUICHOT
Cf. page 205.

J.A. MARTIN

La zone regroupe plusieurs chaos rocheux assez denses offrant beaucoup de circuits intéressants. L'été, la chaleur, souvent étouffante, peut y rendre l'escalade pénible.

• **Blanc** *enfant* n° 8 : 35 numéros + 6 *bis*. Auteur : Michel Coquard.

Départ : en bordure du chemin, 30 mètres avant le départ du circuit Jaune n° 1 (*cf.* page 19).

• **Jaune** *PD –* n° 1 : 29 numéros + 1 *bis*. Auteur : une section montagne F.S.G.T. C'est un bon circuit d'initiation, varié et peu exposé. Les prises des premiers passages sont très polies.

Départ : de P6, suivre le chemin forestier vers le nord jusqu'à la clairière. Départ à son extrémité droite.

• **Vert** *AD – /AD* n° 3 : premier tronçon du super parcours montagne (*cf.* page 203). Inégal quelquefois exposé avec des prises très polies. Il sera repeint en orange.

Départ : de P6, suivre le chemin forestier vers le nord jusqu'à la clairière. Départ sur un bloc en bordure gauche.

• **Vert** *AD* n° 2 : non numéroté. Actuellement très effacé, ce petit circuit intéressant parcourt la partie est du massif : il est parfois exposé.

Départ : de P6, suivre la D 63 vers l'est sur 150 m puis un chemin forestier en biais à gauche sur 200 m (clairière). Un sentier à gauche vers le nord conduit en 60 m au niveau du départ du circuit situé sur un petit bloc à droite.

De nombreux passages de ce circuit et du Vert n° 4 seront probablement intégrés dans un long parcours qui remplacera les deux circuits actuels.

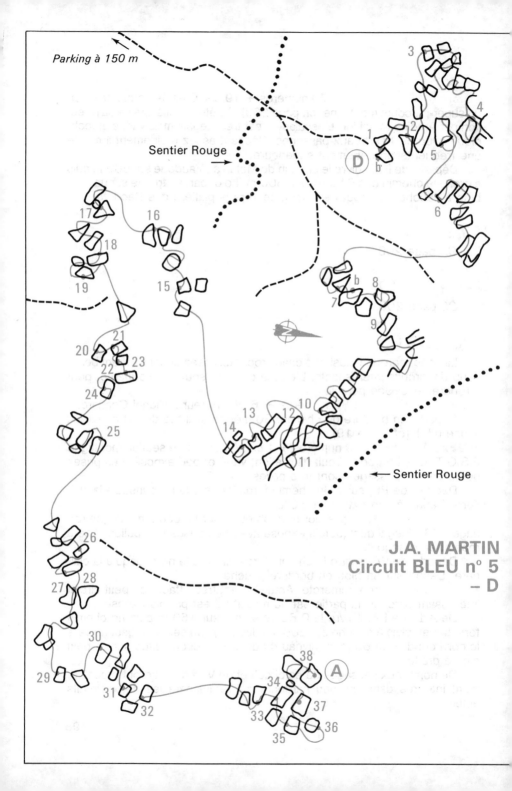

Parking à 150 m

Sentier Rouge

D

Sentier Rouge

J.A. MARTIN
Circuit BLEU n° 5
– D

A

• **Vert** *AD+* n° 4 : 30 numéros. Malgré quelques beaux passages, ce circuit est rendu pénible par une suite de rétablissements athlétiques.

Départ : de P6, suivre la D 63 vers la droite (est) sur 150 m puis un chemin forestier en oblique à gauche. 100 m plus loin, prendre le premier sentier à gauche (nord) qui conduit au départ du circuit.

• **Bleu** *D+* n° 6 : 44 numéros. Auteur : section montagne de Sainte-Geneviève-des-Bois (F.S.G.T.). Intéressant, varié et assez peu soutenu, ce circuit parcourt la partie ouest du J.A. Martin. Quelques passages exposés.

Départ : suivre le début du circuit n° 3. Départ sur la partie surplombante du sixième bloc.

• **Rouge** *TD+* n° 7 : 48 numéros. Auteur : section montagne de Sainte-Geneviève-des-Bois (F.S.G.T.). Très bel ensemble de passages variés, très techniques, esthétiques, parfois exposés. Un seul reproche : le manque de passages intermédiaires.

Départ : de P6, suivre le chemin vers le nord. Traverser la clairière. Le chemin se transforme alors en un sentier que l'on quitte à l'endroit où il oblique à droite. Continuer droit en montant jusqu'à une grande dalle caractéristique à gauche de la fissure de la Grand-Mère.

• **Circuit Bleu clair** *D – /D* n° 5

Tracé par M. Deschenaux dans les années 1955-1960, c'est un très beau et long circuit, varié et esthétique avec certaines sections assez athlétiques. Il est en général peu exposé. L'affaissement du sol a considérablement augmenté la difficulté de certains passages, ce qui explique qu'elle ne correspond plus au niveau d'ensemble.

ACCÈS AU CIRCUIT

De P6, suivre un chemin forestier vers le nord. Traverser la clairière. Le chemin se transforme alors en un sentier qui monte et que l'on quitte pour continuer droit vers la fissure de la Grand-Mère, départ du circuit (à droite du départ du circuit Rouge *TD+*).

COTATIONS

1	IV	La fissure de la grand-mère	19	IV −	Les grattons
1b	III +	L'arête des ribaudes	19b	IV	L'arête du poisson
2	III +	La grandissime	20	III +	La dalle du 14ᵉ dimanche
3	IV	La dalle de l'as	21	III +	Les manettes
4	III	La traversée du gros Qube	22	IV −	La camomille
5	III	Le point d'Alençon	23	IV −	La Chouchounet
6	IV −	La Moby	24	IV −	L'amuse-gueule
6b	IV −		25	III	L'arête des Hu-Bleau
7	II	La dalle des veaux doués	26	III +	La traction avant
7b	V	La truande	27	III +	La molto esposito
8	IV +	La picrate	26	III +	La coincée
9	IV +	La fissure de 4 phalanges	29	III +	Le plein à bras
10	III +	La voie de la raie	30	IV −	L'anodin
11	III	La râpeuse	31	III −	La fissure
12	IV −	La Dominique	32	IV −	Le mur cassé
13	IV −	Le moulin à vent	33	III	La dalle des morpions
14	IV	Le surplomb de l'urgence	34	IV +	La Samson
15	III +	La fissure des maudits chasseurs	35	III	La dalle de la femelle
16	III +	La fente	36	III	La châtaigne
17	III	L'écartelée	37	IV −	La traversée sans retour
18	IV	Le petit mur jaune	38	III	La dalle aux étages

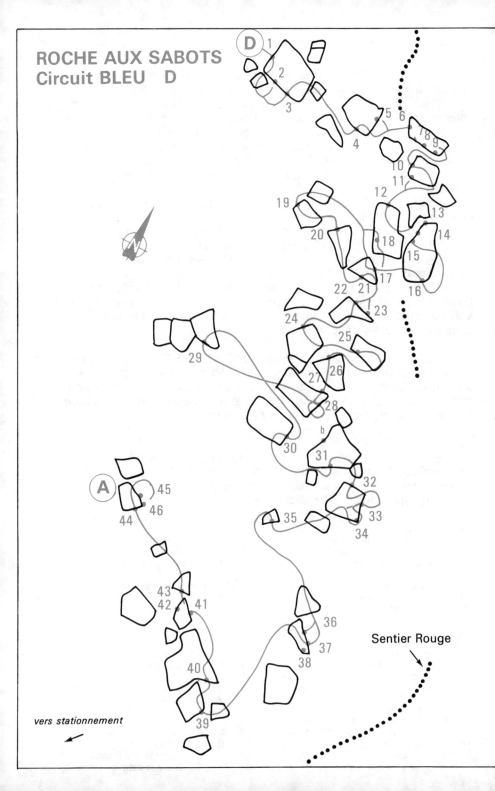

ROCHE AUX SABOTS
Circuit BLEU D

Sentier Rouge

vers stationnement

- **Circuit Bleu *D* n° 1**

Tracé par la section Montagne de Sainte-Geneviève-des-Bois (F.S.G.T.) et amélioré par Bernard Forest, ce circuit est d'une remarquable régularité, très technique, varié et peu exposé. Il exploite consciencieusement le nombre restreint de rochers du massif et pourra peut-être lasser le grimpeur qui n'aime pas passer parfois quatre fois de suite sur le même bloc.

ACCÈS AU CIRCUIT

De P4 (*cf.* Trois Pignons Centre), rejoindre le chemin forestier qui part en biais à droite du cimetière (nord-est) et, 200 m plus loin, prendre le sentier Rouge des Trois Pignons sur la gauche. On passe devant les départs des circuits Rouge et Jaune. Quitter le chemin après avoir traversé la zone des gros blocs pour trouver le départ, 40 m à gauche.

COTATIONS

1	III +		25	III +
2	III +		26	IV
3	IV		26b	IV
4	IV		27	V −
5	IV −		28	III +
6	IV		29	IV +
7	IV +		30	III +
8	III −		30b	V −
9	V −		31	III +
10	IV −		31b	IV −
11	III		32	IV
12	IV +		33	IV +
13	III		34	IV
14	III +		35	III +
15	IV −		36	IV
16	IV +		37	III +
17	IV +		38	IV
18	V		39	IV −
18b	V −		40	IV −
19	IV		41	III +
20	IV +		42	IV +
21	IV +		43	IV
22	IV +		44	IV −
23	V −		45	V −
24	III +		46	IV

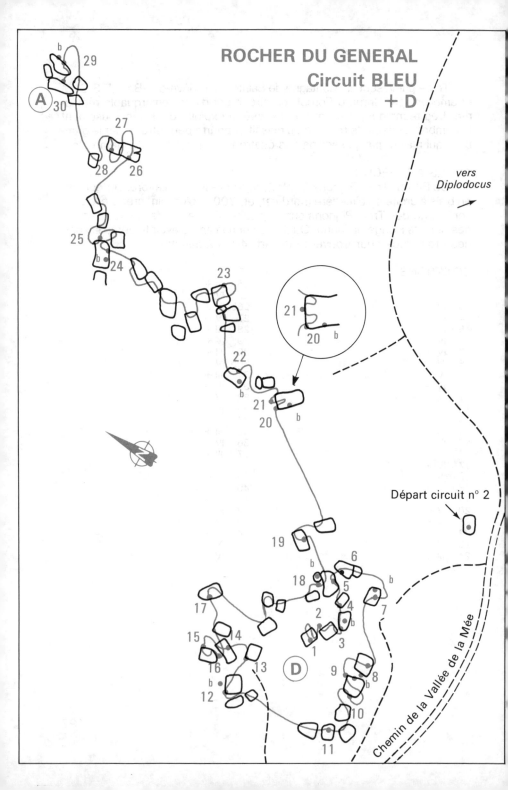

• Circuit Bleu *D* + n° 1

Auteur : U.S.I. (F.S.G.T.).

Ce beau parcours est tracé dans un petit massif sympathique dont le calme contraste avec l'agitation que l'on constate habituellement dans le massif du Diplodocus tout proche. Il est très intéressant quoique peu soutenu et un peu inégal. Quelques passages sur grattons « agressifs » !

Après la pluie, les blocs et le sol restent longtemps humides.

ACCÈS AU CIRCUIT

de P5, suivre le chemin de Melun au Vaudoué sur 800 m. Prendre à gauche le chemin du Rocher Fin (GR1 et T.M.F.). 300 m plus loin, tourner à gauche dans le chemin de la Vallée de la Mée qui traverse une grande clairière ; à son extrémité prendre à droite une sente qui passe à gauche du départ du circuit Jaune n° 2, puis en contrebas d'un surplomb caractéristique (n° 7). Le départ se trouve sur le troisième bloc en bordure droite de la sente après le surplomb.

COTATIONS

1	IV −		17	VI −
2	IV +		18	IV −
2b	V −		18b	V −
3	III		19	IV
3b	IV −		20	IV +
4	IV −		20b	IV +
4b	V		21	IV +
5	III		22	IV +
6	III +		22b	IV −
7	IV		23	III +
7b	IV +		24	V −
8	V		24b	IV −
8b	IV		25	IV +
9	IV +		26	IV
9b	V +		26b	IV −
10	IV −		27	III +
10b	IV +		28	IV −
11	IV		28b	V −
12	IV −		29	IV
12b	IV +		29b	V +
13	IV		30	V −
14	IV			
15	IV +			
16	V −			
16b	VI −			

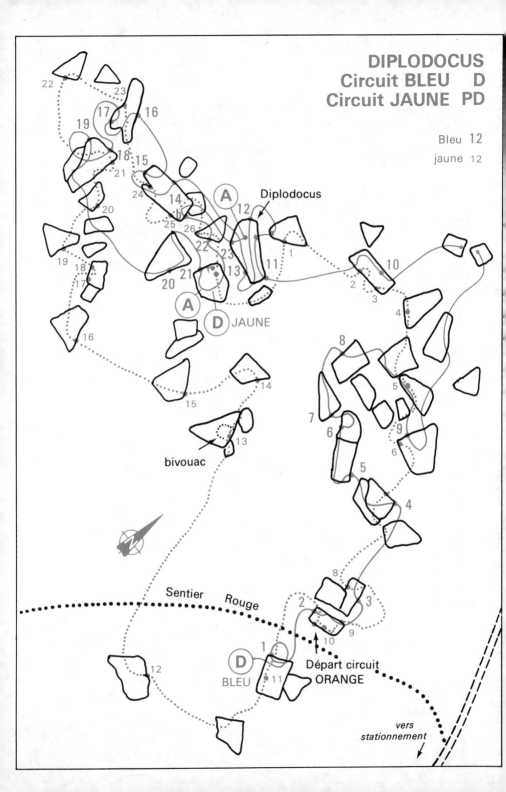

DIPLODOCUS
Circuit BLEU   D
Circuit JAUNE PD

Bleu 12

jaune 12

• Circuit Jaune *PD* n° 1

Tracé par la section montagne de Sainte-Geneviève-des-Bois (F.S.G.T.) et amélioré par Jean-Claude Beauregard des A.A.F.F., ce circuit, toujours peu exposé, est un magnifique terrain d'initiation à l'escalade.

ACCÈS AU CIRCUIT

De P5, suivre le chemin de Melun au Vaudoué sur 800 m puis à gauche le chemin du Rocher Fin (GR 1 et T.M.F.). 100 m plus loin, prendre à gauche le sentier Rouge. Au niveau du départ du Bleu (bloc à gauche) le quitter pour rejoindre le Diplodocus (le plus haut rocher du groupe). Départ sur un gros bloc à proximité.

COTATIONS

D	II	7	II	14	III −	21	II −
1	II −	8	I	15	III −	22	I +
2	II	9	III −	16	III −	23	II −
3	II +	10	II	17	II	24	II
4	III −	11	III	18	II +	25	II
5	II +	12	II	19	II +	26	II +
6	II −	13	II	20	II +	A	II +

• Circuit Bleu *D* n° 3

Ce très beau circuit a été conçu par Sylvie Richard, MM. Bau, Dulphy, Maine et Zaegel. Étant relativement court, il ne gardera tout son intérêt qu'à condition de respecter toutes les traversées et descentes fléchées. Il est technique, homogène, varié.

ACCÈS AU CIRCUIT

Cf. circuit Jaune n° 1.

COTATIONS

D	IV −	La Nostromo	13	IV −	Le Kick
1	IV	Le mur des Pygmées	14	V	La dalle téflon
2	IV	La murène	15	IV	L'index
3	IV −	Le rouleau compresseur	16	IV	La fissure des boulangers
4	III +	L'angle Sylvie	17	IV +	Le crache biceps
5	IV −	La dune	18	IV	L'écartelé
6	IV −	La micro-bulle	19	IV −	La faussbourrerflop
7	IV	Le surplomb de la girafe	20	IV +	Le cercle de Mohr
8	IV	Le poing d'aide	21	IV −	Le réta du gibbon
9	IV	Rattle Snake	22	III +	La dalle du plésiosaure
10	IV	La TGV (traversée grande vitesse)	22b	IV −	Le Gemini Cric Crac
11	IV +	La pousse-rapière	23	IV −	La mâchoire du diplodocus
12	IV +	Le deltaplane	23b	IV +	La dent creuse

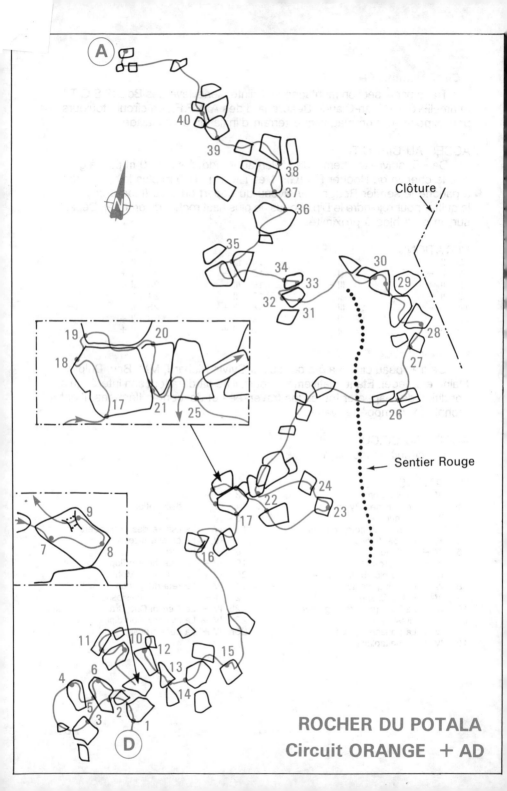

ROCHER DU POTALA
Circuit ORANGE + AD

- **Circuit Orange** *AD+/AD* n° 2

Tracé par Jacques Meynieu, Georges Téoulé, des camarades du C.A.F. et modifié par Antoine Melchior. Ce circuit constitue le 3e tronçon du super parcours montagne. Il est intéressant à parcourir pour la variété de ses passages. Cette zone assez dégagée sèche rapidement après la pluie.

ACCÈS AU CIRCUIT

De P5, suivre le chemin de Melun au Vaudoué. 400 m plus loin tourner à droite dans un chemin bien marqué, le chemin de l'Avenir du Vaudoué qui, après être passé devant une maison, se transforme en sentier et mène en 150 m près du bloc de départ situé sur la gauche et en bordure d'une grande zone dégagée.

COTATIONS

1	III	Le Klem	22	III +	
1b	IV −		23	IV −	La vire tournante
2	IV −	Le rouleau californien	24	III +	Le Cervino
3	IV −		25	III	Les pattes de mouches
4	III +	L'équilibriste	26	II +	
4b	IV	La peur bleue	27	III +	
5	IV −	Ventre bleu	28	III	
6	III	La traversée des confettis	29	III −	La grande dalle du Coutemps
7	II +	L'écartelée	29b	IV −	La petite dalle du Coutemps
8	II +	La vire à bicyclette	30	II	La traînée blanche
9	III	L'inéssorable reptation	30b	IV −	
10	III +	Le baquet de Pierre	31	II	
10b	IV		32	IV	Le mauvais angle
11	IV	Le crochet	33	III	L'allonge de l'escalier
12	II −	Le pas de la mule	34	III +	Le mauvais pas
13	III +	Le feuillet décollé	35	III	Le nouvel angle
14	IV −	Le pousse pied	35b	III +	Le mur aux bruyères
15	IV	La traversée du poussin	36	III +	La fissure humide
16	III −	L'accroupie	37	III +	La déviation
17	III	Les petits rognons	38	IV −	Les deux baignoires
18	IV		38b	IV −	
19	II +		39	II +	La bleausarde
20	III −	La patinoire	40	III	La traversée des tortues
21	III −	La cheminée de l'obèse	40b	IV +	La dalle des tortues jumelles

Le super parcours montagne a été tracé à l'origine pour simuler la durée de l'effort d'une course de niveau moyen en montagne. Une de ses caractéristiques importantes est de pouvoir être parcouru dans un sens comme dans l'autre. Il est constitué de quatre tronçons :
1. J.A. Martin - 118,4 : circuit n° 3 du J.A. Martin
2. 96,2 - crête sud du Rocher du Potala : circuit *PD+* n° 1 du 96,2
3. Rocher du Potala : *cf.* ci-dessus
4. Grande Montagne : circuit *AD+/D−* n° 1 de la Grande Montagne.

L'aller-retour de l'ensemble en moins de cinq heures constitue une performance remarquable.

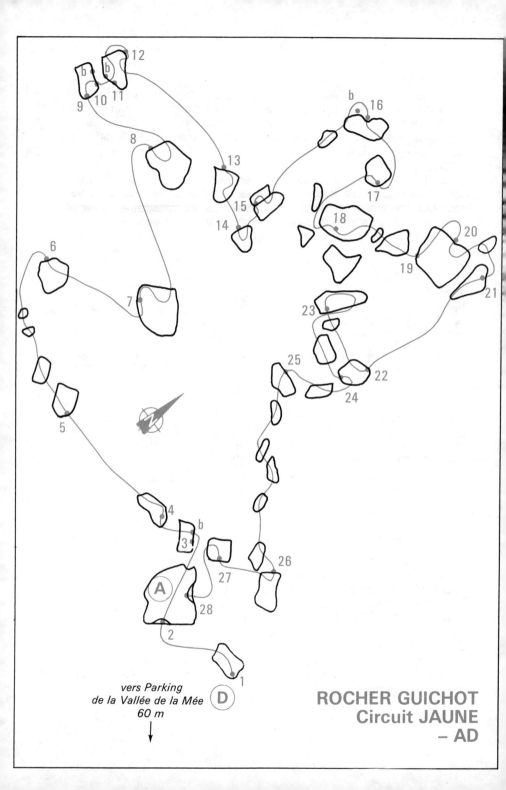

vers Parking
de la Vallée de la Mée
60 m

Ⓓ

ROCHER GUICHOT
Circuit JAUNE
— AD

ROCHER GUICHOT

Petit massif à proximité de P5 présentant peu de rochers mais un ensemble de passages intéressants. A éviter par temps humide car il est en sous-bois.

• Rouge *TD+* n° 1 : 33 numéros + 1 *bis*. Auteurs : MM. Berger et Nael, de l'Union Sportive de Bagnolet (F.S.G.T.). Certains passages de ce circuit conviennent particulièrement aux grimpeurs de grande taille et d'autres à ceux qui supportent l'escalade sur grattons « agressifs ». Il est regrettable qu'il ne soit pas plus fréquenté.

Départ : de P5, une sente à gauche (nord-ouest) mène en 70 m au départ.

• Jaune *AD−* n° 2

Tracé par Mme Queyrut et M. Nael, ce circuit complète l'équipement du Rocher Guichot. De longueur moyenne, il est athlétique, très technique et irrégulier avec quelques passages d'un bon niveau *AD*.

ACCÈS AU CIRCUIT

De P5, une sente à gauche (nord-ouest) conduit en 60 m au départ du circuit.

COTATIONS

1 III −	9 III −	16 II +	23 III
2 II	9b III	16b III	24 III
2b III	10 II	17 II	25 II −
3 II	10b III	18 III +	26 III −
3b II +	11 II	18b IV −	26b III +
4 II	11b II +	19 II	27 II −
5 II −	12 II	20 II	28 III +
6 III −	13 III −	21 II +	
7 III −	14 III +	21b II +	
8 II −	15 II	22 II −	

96,2

Le 96,2 est un pignon situé entre la Vallée de la Mée et le J.A. Martin (118,4) dont le seul intérêt pour les grimpeurs est de proposer le deuxième tronçon du super parcours montagne (*cf.* page 203).

• Vert *PD*+ n° 1 : peu soutenu et fastidieux.

Départ : de P5, une sente à droite (sud-est) conduit en 200 m au chemin de la Cathédrale suivi par le GR1. Le suivre sur la gauche jusqu'au chemin des Longvaux, que l'on prend à droite. Départ 100 m plus loin, en bordure à gauche.

LA RANDONNÉE
BLEAUSARDE

Parler de randonnée spécifique à Fontainebleau n'est pas commettre un abus de langage. En dépit d'une altitude qui ne dépasse pas 150 mètres, une pléthore de dénivellations, de chaos de rochers, de coulées de sable, de chemins cabossés, de platières parsemées de trous ou d'un maquis de bouleaux et de bruyères y assimilent la sortie pédestre à une course en moyenne montagne. D'ailleurs, plus d'un site, en particulier le Coquibus, les Trois Pignons ou Franchard, évoquent un paysage de montagne.

D'autres traits ressortissant à la nature accentuent cette personnalisation de la randonnée bellifontaine. Du fait de la primauté des terrains siliceux, le randonneur échappe, devant la mauvaise saison à la dictature spongieuse des chemins transformés en bourbiers. En outre, les nombreuses taches de conifères et les landes font oublier la nudité de la nature hivernale.

Mais certains éléments apportés par l'homme doivent aussi être pris en compte, au premier rang desquels nous inscrirons la multitude de routes et de chemins identifiés par des panneaux à laquelle s'ajoute la numérotation des parcelles. Précieuses sont également les réserves biologiques, certes interdites au public, qui constituent un véritable conservatoire des espèces. Il existe enfin des zones de silence.

Reste le réseau des parcours balisés que d'aucuns estiment abusif tant il est vrai qu'en certaines zones les tracés se confondent : on ne prête qu'aux riches ! Sentiers Bleus, sentiers de grande randonnée (1, 11, 13, 32, 111), sentiers locaux de Samois, sentier du Tour du Massif de Fontainebleau (T.M.F.), sentier Rouge des Trois Pignons, auxquels s'ajoutent les balisages d'escalade, offrent un vaste programme d'itinéraires.

Jusqu'au XIXᵉ siècle n'existait qu'un seul sentier de promenade, celui, hélicoïdal du Mont Aigu. Enfin Denecourt vint qui, domicilié à Fontainebleau, découvrit avec ravissement la forêt et décrivit un certain nombre de promenades dans des indicateurs abondamment illustrés qui connurent un remarquable succès.

Celui que Théophile Gautier appela le « Sylvain » ne se contenta pas de baliser 150 km de sentiers, il dégagea des grottes et affubla sites ou rochers de noms empruntés à la mythologie ou même à l'histoire. Il aménagea également des fontaines. Des écrivains n'ont pas hésité à célébrer son œuvre et Gautier rédigea même une épitaphe chaleureuse.

Poursuivant l'œuvre de Denecourt, Colinet, un fonctionnaire des Ponts et Chausssées, consacra quarante années de sa vie au tracé de quelque cent kilomètre de sentiers. La médaille d'or du Touring Club de France lui fut décernée en 1899.

Leur œuvre fut reprise et améliorée par le Touring Club de France entre les deux guerres mondiales, puis par l'Association des Amis de la Forêt de Fontainebleau qui se charge aujourd'hui de leur entretien et a édité un guide complet des sentiers de promenades de la forêt.

Plus récente, l'œuvre du Comité National des Sentiers de Grande Randonnée, stimulé par les travaux de Jean Loiseau qui consacra deux remarquables ouvrages sur la forêt, aboutit à des tracés balisés de marques blanches et rouges. L'Office National des Forêts entreprit à son tour de doter la forêt d'un circuit balisé en blanc et vert : le « T.M.F. ».

Dans la description des itinéraires qui suivent, nous mentionnons des noms de routes, de chemins, de sentiers mais nous nous abstenons de progresser « tout terrain ». Nous ne voudrions pas que le succès (d'ailleurs confirmé) de cet ouvrage soit la cause de landes de bruyère striées de pistes, de sous-bois meurtris. Après tout, la densité des chemins et suffisamment forte pour que nous nous limitions à leur emprunt. Il est toutefois bon de signaler que la constitution d'une zone de régénération végétale peut interrompre le cours d'un chemin comme c'est le cas au sud du massif du Rocher Canon. Cette rupture est réparée grâce à des chemins voisins.

En ce qui concerne les accès, nous mentionnons les gares ou les arrêts de cars. Depuis la parution de la première édition, une ligne de cars particulièrement pratique a disparu, ce qui a déterminé des modifications de parcours. En ce qui concerne les usagers de véhicules, ils disposent de nombreux parcs de stationnement en forêt ou dans les villages de la périphérie.

LISTE DES RANDONNÉES

1 - Entre Fontainebleau et Thomery.

2 - L'alliance du fleuve et de la forêt : de Chartrettes à Fontainebleau.

3 - De Bois-le-Roi à Fontainebleau.

4 - Autour de Fontainebleau.

5 - Une succession de petites montagnes : de Moret à Bourron.

6 - La Grande Traversée : de Milly-la-Forêt à Moret-sur-Loing.

7 - La montagne à soixante kilomètres de la capitale : de Barbizon à Fontainebleau.

8 - Moulins, château, landes, rochers, futaies : de Courances à Bois-le-Roi.

9 - La forêt en diagonale : de Bois-le-Roi à Milly-la-Forêt.

10 - Un cocktail d'itinéraires : dans le triangle Auvernaux-La Ferté-Alais-Boutigny.

11 - L'apothéose des chaos rocheux : de Fontainebleau à Nemours.

12 - Grands espaces forestiers et campagnards de Fontainebleau à Malesherbes.

13 - La haute Essonne : de Briarres à Buno-Boigneville.

14 - De l'Essone à la Juine : de Boigneville à Étréchy (ou Chamarande ou Lardy).

15 - Vers les Pays de la Loire : de Nemours à Dordives.

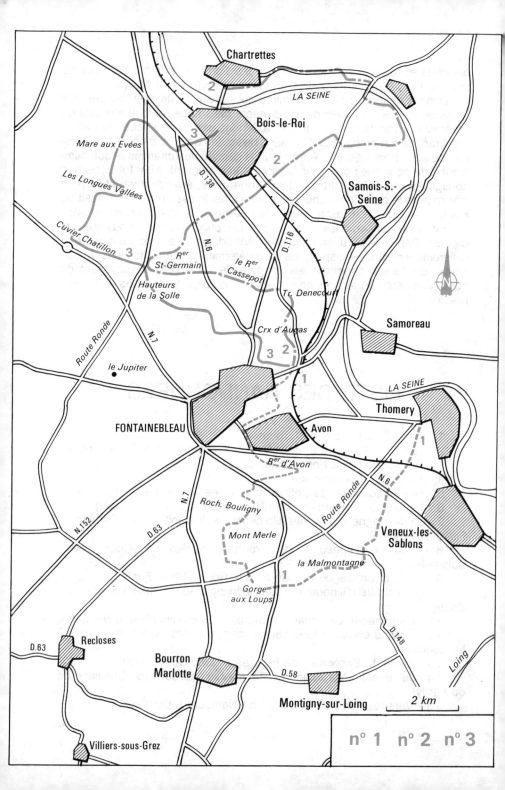

1. ENTRE FONTAINEBLEAU ET THOMERY

DURÉE : 4 heures au maximum (sans varappe) ; 17 km.

TYPE : facile. Relativement courte, cette randonnée s'adresse particulièrement à ceux qui s'initient soit à la randonnée soit à la varappe ou qui entendent combiner la visite d'un des plus beaux monuments de l'Ile-de-France (Stendhal considérait en effet le château de Fontainebleau comme un dictionnaire de l'architecture) avec l'insertion dans une partie très variée du massif forestier.

CARACTÉRISTIQUES : en dépit d'un kilométrage modeste, cette sortie révèle plusieurs massifs gréseux, générateurs de belles vues, le Rocher Boulin apportant sa note toute personnelle en raison des taches sombres de résineux qui le revêtent. La fin du parcours est en futaie.

• **Itinéraire** (croquis page 210).

ACCÈS : au départ de Paris, prendre à la gare de Lyon le train pour Fontainebleau-Avon ; retour par Thomery pour Paris-Lyon.

Dès la sortie de la gare, s'écarter de la voie ferrée en empruntant une rue qui mène au parc. Là, une grande allée constitue un raccourci agréable pour accéder au palais. Il est également plaisant de descendre jusqu'au canal et de longer celui-ci, ce qui offre d'ailleurs l'occasion d'aller visiter l'originale église d'Avon, à charpente cintrée et à déambulatoire enrobant le chœur. Elle regorge de souvenirs sur des personnes illustres du Grand Siècle.

A la sortie du parc, un carrefour de Maintenon, un sentier Bleu permet de traverser le Rocher d'Avon (varappe possible). Il offre un joli point de vue dans sa partie orientale. Par la route Gabrielle, on atteint l'extrémité du Petit Mont-Chauvet, qui doit son nom à l'absence de futaies. Après le carrefour du Mail d'Henri IV, rejoindre le GR11 qui affronte successivement le Rocher Bouligny, le Mont Merle (attention, terrain militaire) et le Rocher Fourceau. Au carrefour du Chevreuil, se diriger plein sud jusqu'à la route de Clermont afin d'entrer dans le domaine du Rocher Boulin aux couverts très sombres et ce, en empruntant le GR11. Les routes des Ventes Héron et des Étroitures conduisent (au N.E.) au carrefour de La Malmontagne. La partie septentrionale de la Malmontagne fournit de belles vues avant la descente vers le Rocher des Princes. On aborde ensuite le Rocher Brûlé par la route de Montmorin ou par celle de la Plaine du Ruth et, franchissant la route du Chêne Feuillu puis la N 6 on atteint au nord la modeste gare de Thomery.

Carte : n° 401, I.G.N., *Forêts de Fontainebleau et des Trois Pignons.*

2. L'ALLIANCE DU FLEUVE ET DE LA FORÊT
(de Chartrettes à Fontainebleau)

DURÉE : 5 heures 20 km.

TYPE : randonnée facile jusqu'à la Butte Saint-Louis puis accidentée, notamment dans le massif du Rocher Saint-Germain. Possibilités de varappe dans ce massif.

CARACTÉRISTIQUES : cet itinéraire est très varié. Il offre un tête-à-tête préliminaire avec le fleuve puis révèle une partie de forêt mal connue, à belles futaies, où cependant les rochers sont absents. La première éminence, la Butte Saint-Louis, surprend par la rudesse de ses pentes et préfigure le relief accidenté du Rocher Saint-Germain, dont la partie dominant la poétique vallée de la Solle forme un balcon. Le Rocher Cassepot est riche en vues aussi amples que variées.

• **Itinéraire** (croquis page 210).

ACCÈS : au départ de Paris, prendre à la gare de Lyon le train pour Melun ; changement pour Chartrettes, sur la ligne Melun-Montereau ; retour par Fontainebleau-Avon.
   La gare est assez proche de la rive droite de la Seine que le GR2 suit parallèlement, s'en écartant avant Massoury puis descendant vers le pont de Fontaine-le-Port. On passe sur l'autre rive. L'itinéraire est d'abord forestier puis suit de près le fleuve (belle vue). On tourne le dos à la Seine pour entrer en forêt par la route du Chêne Tortu (direction ouest) qu'on emprunte jusqu'au carrefour du Porte-Arquebuse. Laissant à gauche la maison forestière, on traverse la D 116 et on suit la route de Sermaise à Samois jusqu'à son intersection avec la route Victor. Celle-ci passe ensuite sous la voie ferrée. Après le carrefour de la Plaine Saint-Louis, on aborde le sentier Bleu qui conduit au faîte de la Butte Saint-Louis, à pente rude, qui porte des vestiges d'un ermitage datant du règne de Saint-Louis (jadis existait aux alentours un village). Descente sur le côté adverse pour franchir la N 6.
   Un sentier Bleu, orienté nord-est, sud-ouest, s'attarde dans le Mont Saint-Germain et par la route du Mont Saint-Germain on arrive à la Grotte aux Cristaux si connue au XVIIIe siècle qu'on vendait des bonbons appelés « cristaux ». Un enchevêtrement de cristaux enrobe son plafond.
   Très beau passage tout au long du balcon méridional du Rocher Saint-Germain qu'on descend en dominant la vallée de la Solle dont la flore est très intéressante (dans la partie du Rocher Saint-Germain proche de la N 6, on peut faire de la varappe).
   Traversant la N 6, on affronte, dans le prolongement du Rocher Saint-Germain, le môle gréseux du Rocher Cassepot. Son nom semble dériver

d'une plante, mais une autre explication est offerte : il évoquerait les amours clandestines du chevalier de Béthune... Sentier Bleu et route tournante (au choix) sont très pittoresques, les vues sont très belles.

Sentier Bleu et GR1 conduisent conjointement à la Tour Denecourt, érigée au début du Second Empire, qui domine une magnifique frondaison depuis un éperon rocheux.

La dernière partie de la randonnée s'oriente vers le sud. Il est commode d'arriver à la gare en empruntant soit le GR1, soit le sentier T.M.F., soit la route de la Tour Denecourt.

Carte : n° 401, I.G.N. : *Forêts de Fontainebleau et des Trois Pignons.*

3. DE BOIS-LE-ROI A FONTAINEBLEAU

DURÉE : 5 heures (sans varappe) 18,5 km.

TYPE : trois massifs rocheux ponctuent ce parcours généralement accidenté, surtout dans le massif du Cuvier-Chatillon.

CARACTÉRISTIQUES : le début de la randonnée s'inscrit dans une partie de la forêt dépourvue de chaos et sans dénivellations mais agrémentée de très belles futaies et surtout de l'ensemble aquatique de la mare aux Évées et de ses ramifications ; il s'agit pourtant d'une randonnée sportive en raison de nombreux passages accidentés et de multiples labyrinthes. Les trois massifs sont très différents : le Rocher Canon, nettement divisé en deux parties distinctes ; le Cuvier-Chatillon, constamment changeant et pourvu d'un magnifique rempart gréseux ; le Mont Ussy ajoutant sa note poétique aux abords mêmes de la ville de Fontainebleau.

• **Itinéraire** (croquis page 210).

ACCÈS : au départ de Paris, prendre à la gare de Lyon le train pour Bois-le-Roi ; retour par Fontainebleau-Avon (même ligne).

Au départ de la gare de Bois-le-Roi, il est préférable de suivre d'abord le tracé du diverticule du GR1 plutôt que d'emprunter la route goudronnée, trop fréquentée. 300 mètres après le franchissement de la D 138, prendre la route forestière de la Mue (direction N.O.) jusqu'au carrefour du Berceau. La mare aux Évées est toute proche. Créée artificiellement après neuf ans de travaux, peuplée de fossés rayonnants, elle présente une flore intéressante. La'quitter à sa pointe sud-est pour prendre la route Dammarie qui conduit au Rocher Canon (attention, cette zone est militaire et arbore des triangles rouges en période de tirs). Traverser longitudinalement de l'est à l'ouest le Rocher Canon, très poétique. Ensuite se diriger au sud par la route du Sanglier, coupée momentanément par une zone de régénération végétale. En conséquence, paser par la route tournante des Longues Vallées puis par celle du Grippet (qui grimpe) pour retrouver la route du Sanglier. A son intersection avec la route du Clocher, on aperçoit sur la droite l'imposant chêne de Sampité.

Abordant au sud le Rocher Cuvier Chatillon, on met le cap sur le carrefour de l'Épine mais on emprunte le sentier Bleu qui visite le massif, d'abord en se faufilant entre des rochers individualisés puis en grimpant sur le rempart (vue remarquable sur les deux versants). Il redescend ensuite mais momentanément, terminant sa course après la Mare à Piat.

On franchit la route Ronde et on descend au sud de façon à rejoindre le diverticule du GR1 et à atteindre la vallée de la Solle. Remonter S.E. pour passer au Mont Ussy et, au-delà de la route de la Reine, pour entrer dans le beau domaine des rochers du Mont Ussy (suivre le sentier Bleu). Après le franchissement de la N 6, rejoindre à l'est la route du Calvaire puis terminer le parcours par celle de la Reine Amélie.

Carte : n° 401, I.G.N., *Forêts de Fontainebleau et des Trois Pignons.*

4. AUTOUR DE FONTAINEBLEAU

Durée : 7 à 8 heures (sans varappe) ; 30 km.

TYPE : parcours en montagnes russes avec de brutales dénivellations lors de la traversée de certains massifs gréseux (nombreuses possibilités de s'adonner à la varappe).

CARACTÉRISTIQUES : cette longue randonnée exige un bon entraînement. La succession de môles rocheux est pratiquement continue.

• Itinéraire (croquis page 216).

ACCÈS : au départ de Paris, prendre à la gare de Lyon le train pour Fontainebleau-Avon ; retour par la même gare.

En quittant la gare, emprunter d'abord le sentier T.M.F. qui longe un moment la voie ferrée puis s'en écarte pour conduire au Cassepot. Au nord de la route de Valvins, prendre le sentier Bleu pour aller admirer le panorama offert par la Tour Denecourt. C'est après avoir franchi la D 116 qu'on entre dans la partie la plus intéressante de ce massif qui prodigue des échappées sur la forêt. Le sentier Bleu descend sur la N 6 qu'on traverse pour aborder le Rocher Saint-Germain (sentier Bleu). Le parcours est ascendant et en corniche jusqu'aux abords de la Grotte aux Cristaux. Suivre la route ronde jusqu'à Belle-Croix et se diriger vers l'ouest pour effectuer la traversée d'une partie du Cuvier-Chatillon aux ruptures de pente nombreuses et aux dédales multiples. Vue particulièrement belle depuis le rempart (et varappe dans toute la partie occidentale du Cuvier et au rempart). Au carrefour de l'Épine, on traverse la N 7 et on se dirige S.E. pour aborder le carrefour du Clair-Bois, antichambre du domaine spectaculaire d'Apremont.

Traverser le Désert puis les Platières. Au S.E., on atteint le carrefour de la Gorge aux Néfliers. Par les routes de la Roche-qui-pleure et du Faucon, on rejoint le sentier Bleu qui permet d'admirer le chêne séculaire Jupiter puis mettre le cap au sud pour grimper sur le cône du Mont Aigu (belle descente en colimaçon). Toujours vers le sud, on atteint le rocher du Long Boyau et on s'en écarte au carrefour Thouin ou au carrefour Dralet. Une zone plate précède le rocher de la Salamandre (attention terrain militaire). Par les routes d'Adam et du Griffon on arrive au Mont Enflammé. Emprunter ensuite la route de la Salamandre qui bute contre le N 152. Sur la rive adverse de la route se dresse le rocher du Mauvais Passage, auquel succède le pittoresque massif des Demoiselles qu'on quitte au S.E. au carrefour de Jemmapes.

La route de Jemmapes permet à l'est de rejoindre le tracé du GR11 qui conduit par un parcours en montagnes russes aux abords de la ville de Fontainebleau (attention terrain militaire du Mont Merle). Pour éviter la traversée de la ville, s'insérer à partir du château dans le parc et sortir au nord-est de ce dernier.

Carte : n° 401, I.G.N., *Forêts de Fontainebleau et des Trois Pignons.*

5. UNE SUCCESSION DE PETITES MONTAGNES
(de Moret-sur-Loing à Bourron-Marlotte)

DURÉE : 6 heures (sans varappe) ; 25 km.

TYPE : randonnée animée constamment d'éminences gréseuses et de dépressions, souvent à dénivellations rudes. La partie méridionale de ce parcours est riche en balcons et en labyrinthes.

CARACTÉRISTIQUES : c'est une des plus belles randonnées en forêt de Fontainebleau, quelle que soit la saison mais surtout en automne. La visite de Moret mérite un détour, la cité acquise par Sully pour 18 000 écus (Fouquet y fut temporairement enfermé) présentant un charmant tableau égayé par les bords du Loing. Elle possède plusieurs monuments intéressants. La fin de cet itinéraire et particulièrement remarquable.

• Itinéraire (croquis page 216)

ACCÈS : au départ de Paris-Lyon prendre le train pour Moret - Veneux-les-Sablons ; retour par Bourron-Marlotte avec changement à Moret.

La gare est à l'écart de Moret-sur-Loing mais il est recommandé de descendre jusqu'à la coquette cité car les bords du Loing, l'église, les vieilles portes et un édifice Renaissance imposent cette visite.

Depuis la gare, le GR111 offre l'accès le plus pratique à la forêt qu'on atteint après avoir traversé la N 6. Bientôt, on rencontre la route de Zamet qui conduit au rocher Besnard. La route du Genévrier se dirige vers l'ouest

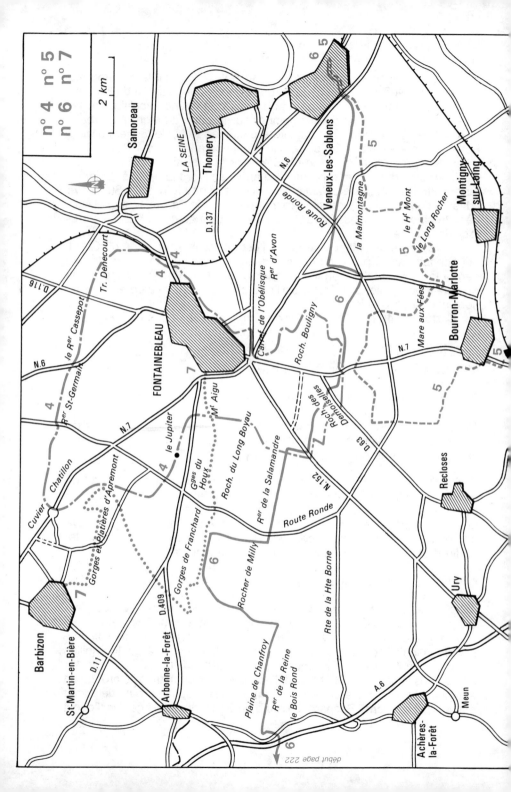

et aborde le promontoire de la Malmontagne. Toujours vers l'ouest, suivre la route de la Malmontagne. Presque à l'intersection de cette dernière avec le GR11, on découvre une curiosité géologique, une sorte d'entonnoir baptisé le « Gouffre ». Descendre ensuite par la route du Haut Mont. En remontant par la route du Tsar, on aperçoit une seconde curiosité géologique, un rocher appelé le « Carosse », masse de grès à ciment calcaire enrobé de boules de grès à ciment siliceux (ne pas l'escalader).

Suivre la route de l'Électeur, reprendre la route du Haut Mont et, à la cote 130,7, emprunter un chemin qui part vers l'ouest et qui permet de suivre le sentier Bleu du Restant du Long Rocher (restant = extrémité). Très pittoresque, ce sentier est agrémenté d'un balcon dont l'élément le plus spectaculaire est la grotte Béatrix. On le quitte provisoirement à son intersection avec la route des Étroitures qui s'insinue dans la Grande Vallée (maison forestière). Remonter la D 58 pour retrouver le sentier Bleu qui visite longitudinalement le poétique rocher des Étroitures (belles vues). La route de la Grande Mare permet de découvrir un site romantique, la Gorge aux Loups. Au N.E., on rejoint le GR11 au contact du rocher Boulin. Après avoir franchi la D 301, suivre la route du Chevillard puis les routes de Clermont et de la Réserve. On traverse la N 7 dans une zone sans rochers mais avec des hêtres remarquables (direction S.O.).

On suit la route de la Mésange pour arriver au carrefour des Érables. Par les routes des Érables et Déluge, du Frévoir et de Villiers, on parvient au carrefour des Ventes Cumier. Le sentier du T.M.F. nous conduit à la naissance d'une des vallées les plus originales de la forêt, la vallée Jauberton vers laquelle confluent plusieurs ravins. Laissant le rocher de Bourron sur la droite, on rejoint la N 7. La gare est proche, face au parc du château sur une petite route.

Carte : n° 401, I.G.N., *Forêts de Fontainebleau et des Trois Pignons.*

6. LA GRANDE TRAVERSÉE

(de Milly-la-Forêt à Moret-sur-Loing)

DURÉE : 7 heures environ (sans varappe) ; 30 km environ.

TYPE : accidentée à souhait dans la première partie du parcours, cette randonnée traverse des sites d'une diversité singulière. La fin se déroule en futaie.

CARACTÉRISTIQUES : tous les exemples de paysages bellifontains sont présents dans cette longue sortie qui débute par la découverte du site des Trois Pignons lesquels, comme le faisait remarquer Jean Loiseau, sont quatre en vérité.

• Itinéraire (croquis pages 216 et 222)

ACCÈS : Cars Verts, Villejuif, métro : Louis Aragon. Pour les horaires, se renseigner : tél. 60.89.20.73. Arrêt à Milly. Retour par la ligne Moret-Fontainebleau - Paris-Gare de Lyon.

Milly est un bourg encadré de collines boisées, réputé pour ses cressionnières et ses productions de plantes médicinales. Il faut voir l'admirable halle en châtaignier, l'église au clocher à 3 étages et aux stalles de miséricordes, les tours crénelées du château, la maison du poète Jean Cocteau qui était citoyen d'honneur de Milly.

A la sortie sud-orientale de Milly, on suit la D 16 et on côtoie la chapelle Saint-Blaise, lieu d'inhumation de Jean Cocteau. Il l'avait décorée en s'inspirant des simples.

Après un parcours de vingt minutes environ, suivre à gauche une petite route entre les lotissements et la forêt puis prendre un chemin sableux qui longe un centre hippique avant de parvenir à la Croix-Saint-Jérôme. Elle précède l'entrée dans le cirque des Trois Pignons. On remonte la Vallée Close qui mérite bien son nom, dominée par le monument de la Résistance. Les Trois Pignons sont au sud. Monter sur le balcon septentrional et le suivre jusqu'aux Gros Sablons (belle vue) puis descendre dans la Canche aux Merciers (canche = petit vallon) striée par de véritables pistes africaines. Passer sous l'autoroute et grimper en face au promontoire rocheux des Drei Zinnen (belle vue).

Se maintenir d'abord sur le Rocher de la Reine puis descendre dans la lumineuse plaine de Chanfroy (ce nom traduit un microclimat aggravé) derrière laquelle on aperçoit la statue sommitale de la Vierge. La piste de sable conduit à la route de la Goulotte. Au carrefour de la Touche aux Mulets, se diriger au nord par la route Cévise pour atteindre le rocher de Milly, un rempart gréseux allongé qu'on côtoie. On le traverse seulement dans sa partie orientale pour atteindre le carrefour des Hautes Plaines d'où l'on descend dans les gorges de Franchard.

Ne pas demeurer sur la route des gorges de Franchard mais grimper sur l'éperon central si pittoresque et agrémenté d'un parcours-montagne. A l'extrémité orientale de Franchard, le sentier Bleu rejoint la route des gorges de Franchard. Depuis le carrefour Tavannes et en passant successivement par les carrefours des Ventes Caillot et de la Couronne, mettre le cap au sud pour rejoindre la route de Milly qui longe à l'est le rocher de la Salamandre. Contournant le Mont Enflammé, on atteint par la route de Valmy le rocher du Mauvais Passage puis le rocher des Demoiselles appelé jadis rocher aux Punais ou encore Rocher aux Putains en raison d'une fréquentation galante. Respecter les repères successifs : carrefours du Bonheur, de Vénus, des Soupirs, du Rendez-Vous (ce dernier en contact avec la D 63 E). La route de la Colombe se dirige vers le sud. On franchit à l'est la N 7 pour emprunter la route d'Hippolyte. Au carrefour de Marlotte, suivre la D 58 puis la route du Rapport jusqu'à son intersection avec la route de Vidossang. Tout près de la lisière, celle-là croise le GR11 qu'on suit jusqu'à la gare de Moret-Veneux-les-Sablons.

Carte : n° 401, I.G.N., *Fôrets de Fontainebleau et des Trois Pignons.*

7. LA MONTAGNE A 60 KM DE LA CAPITALE

(de Barbizon à Fontainebleau)

DURÉE : 5 heures en raison du caractère accidenté de cette randonnée qui représente une longueur approximative de 20 kilomètres.

TYPE : elle est caractéristique du paysage bellifontain sur toute la longueur du parcours.

CARACTÉRISTIQUES : les deux principaux massifs visités, Apremont et Franchard, offrent un aspect très différent. Le paysage est plus ouvert à Apremont, à caractère plus montagneux dans les gorges de Franchard. Mais au-delà de la route Ronde, la qualité du paysage bellifontain est toujours remarquable.

• **Itinéraire** (croquis page 216)

ACCÈS : Cars Verts, Villejuif, métro : Louis Aragon. Se renseigner sur les horaires (tél. 60.89.20.73) ; retour par Fontainebleau-Avon.

Barbizon, situé à l'orée de la forêt, est une localité tranquille et coquette qui a donné son nom à une école de peinture au xixᵉ siècle (les peintres les plus connus étaient Rousseau et Millet).

Quitter Barbizon en empruntant, non loin de la maison forestière, le sentier Bleu n° 6 qui grimpe vers le carrefour André Billy (célèbre écrivain qui demeurait à Barbizon). La vue sur les gorges est remarquable. Poursuivre sur la hauteur et après avoir franchi la route de Sully, se diriger vers le nord jusqu'à l'Envers d'Apremont et aller ensuite jusqu'au Désert. Emprunter la route du Cul de Chaudron. Conserver la même direction (sud-ouest) jusqu'au carrefour de la Plaine de Macherin afin de commencer l'investigation du massif de Franchard en visitant d'abord son antichambre, le domaine poétique de l'Isatis (varappe).

Pour apprécier tout le pittoresque de Franchard, il faut progresser longitudinalement sur la dorsale rocheuse en laissant au nord la route de l'Ermitage et au sud celle des Gorges de Franchard. Maintenir cette direction en évitant la partie nord-orientale, très fréquentée par les touristes. On atteint la route Ronde.

Après la traversée de cette dernière, descendre dans les gorges du Houx. Depuis le carrefour de Franchière ou depuis celui du Débucher, grimper jusqu'au sommet du Mont Aigu qui mérite bien son nom (sentier hélicoïdal). Du sommet, mettre le cap au nord pour atteindre le balcon du mont Fessas.

Le retour s'effectue soit par le sentier Bleu n° 7 qui passe par la maison forestière de Fleury, soit par le GR11, ces deux fins de parcours fusionnant à la sortie de la sylve.

Carte : n° 401, I.G.N., *Forêts de Fontainebleau et des Trois Pignons*.

8. MOULINS, CHATEAU, LANDES, ROCHERS, FUTAIES

(de Courances à Bois-le-Roi).

DURÉE : 6 heures (sans pratique de la varappe) ; 24 km.

TYPE : facile au début, cette randonnée multiplie les dénivellations au-delà d'Arbonne, et la deuxième partie du parcours permet de confronter deux massifs gréseux très différents, celui d'Apremont et le rocher Cuvier Chatillon. C'est pourtant une randonnée relativement facile et elle fait alterner des paysages et des reliefs nettement distincts.

CARACTÉRISTIQUES : le caractère agreste de la vallée de l'École ne permet pas d'imaginer l'imminence d'un plateau gréseux sauvage. Ce site du Coquibus est un de ceux qui dépaysent le plus à Fontainebleau avec ses grands pans de bruyère et sa piste de sable qui strie la platière.
   Arbonne, c'est l'alliance de la campagne et de la forêt. A l'est de Macherin, la sylve reprend ses droits, chaotique à souhait. Apremont, avec ses combes rocheuses, son désert, ses platières, interdit toute comparaison avec le fuseau tourmenté du Cuvier Chatillon. La fin de la randonnée choisit la futaie. Une note de particulière élégance, le château de Courances et son merveilleux parc.

● **Itinéraire** (croquis page 222)

ACCÈS : Cars Verts, Villejuif, métro : Louis Aragon. Se renseigner sur les horaires (tél. 60.89.20.73) ; retour en train par la gare de Bois-le-Roi pour Paris-Lyon.
   La visite de Courances et de son magnifique parc s'impose : beau château, douves, pièces d'eau, cascatelles, arbres imposants.
   Entre Courances et le Coquibus, le tracé du GR 11 présente une succession de tableaux champêtres du meilleur aloi : parc et château, paysages bocagers, eaux vives avec moulins et cressonnières puis la forêt et la lande.
   Au sud-est de Moigny, s'élève le plateau du Coquibus qu'on sillonne au milieu d'un océan de bruyère en direction de l'est. Ne pas manquer d'aller voir, avant la superposition de la petite route d'Arbonne et de l'autoroute, la belle réserve de genévriers de Baudelut. Suivre ensuite la route jusqu'à Arbonne sans entrer dans la sylve et à partir du village, progresser au nord en espace découvert pour rejoindre la forêt à la maison forestière de Macherin.
   Après une entrée en terrain accidenté, on atteint la route des Ventes Alexandre qui conduit aux gorges et platières d'Apremont. Descendre dans les gorges et quitter le massif d'Apremont au carrefour du Clair-Bois (partie N.E. du massif). Un chemin orienté N.O. conduit au carrefour de l'Épine,

antichambre du Cuvier-Chatillon. Emprunter le sentier Bleu n° 5 en direction de l'est et l'abandonner au carrefour où se dresse le beau rocher de la Merveille. Un chemin au nord conduit au carrefour du Vautrait. Descendre dans le poétique domaine des Longues Vallées et rejoindre le carrefour du même nom. Pour rejoindre la gare de Bois-le-Roi, se diriger au nord-est en vue de rattraper la route du Lancer où passe le diverticule du GR1.

Carte : n° 401, I.G.N., *Fôrets de Fontainebleau et des Trois Pignons.*

9. LA FORÊT EN DIAGONALE
(de Bois-le-Roi à Milly)

DURÉE : 7 heures 30 (sans varappe) ; 30 km.

TYPE : randonnée sportive surtout dans la dernière partie consacrée à la visite du site étrange des Trois Pignons.

CARACTÉRISTIQUES : si la futaie occupe une place importante dans cette longue traversée, les paysages de grès et de sable sont à partir de Bois-Rond générateurs de découvertes spectaculaires.

• **Itinéraire** (croquis page 222)

ACCÈS : au départ de Paris-Lyon, train pour Bois-le-Roi. Retour par les Cars Verts, sur une place proche de la halle de Milly-la-Forêt. Pour les horaires, téléphoner au 60.89.20.73.

Quitter Bois-le-Roi par la route du Pavé de la Cave et emprunter la route des Ventes Bouchard jusqu'à son intersection avec le sentier Bleu n° 12 qu'on emprunte pour atteindre la butte Saint-Louis. De l'autre côté de la route nationale, monter jusqu'à la grotte aux Cristaux en empruntant la route de la Harde puis celle du Mont Saint-Germain. Du carrefour de Belle-Croix prendre la route des Ligueurs et, au carrefour de la Tillaie, la route Macherin jusqu'au carrefour de la Gorge aux Néfliers. Remonter jusqu'au carrefour des Cépées où un sentier Bleu permet d'aller admirer l'admirable chêne Jupiter. Continuer sur le sentier Bleu jusqu'à la route de la Tillaie et se diriger au sud en passant successivement par les carrefours du Renard et de Franchière. Traverser le Long Boyau pour atteindre à l'ouest le carrefour du Veneur, continuer ouest jusqu'au carrefour de Trévise. La route Raymond et celle de l'Œil permettent d'atteindre le carrefour du Sapin Rouge qui inaugure un nouveau paysage et précède la Gorge aux Archers. On s'y insinue depuis Bois-Rond, on passe dans le domaine prestigieux des Trois Pignons.

Voici l'itinéraire à suivre au sein du cirque : Rocher de la Vallée Ronde, Rocher Fin, Sable du Cul-de-Chien, Trois Pignons puis au nord, chemin de la Vallée Close et Croix-Saint-Jérôme. Un chemin mène en direction du

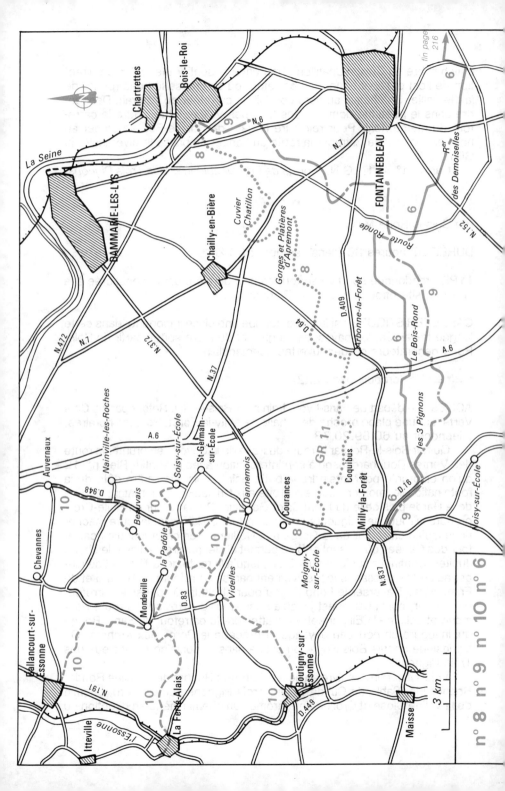

n° 8 n° 9 n° 10 n° 6

sud-ouest à une petite route de lisière qui conflue avec la D 16. Milly est à quelque vingt minutes de marche.

Carte : n° 401, I.G.N., *Forêts de Fontainebleau et des Trois Pignons*.

10. COCKTAIL D'ITINÉRAIRES

(dans le triangle Auvernaux - La Ferté-Alais - Boutigny)

DURÉE : Auvernaux-La Ferté-Alais : 4 heures ; 16 km. Auvernaux-Boutigny : 4 heures 1/2 ; 18 km. Nainville-les-Roches - Soisy-sur-École ou Dannemois : 4 heures ; 15 km environ.

TYPE : il s'agit de randonnées relativement courtes en raison des nombreux lieux d'escalade qui balisent chacun de ces parcours. Ce triangle géographique en question, marge du massif de Fontainebleau, conserve une partie des caractéristiques de ce dernier mais les môles de grès jouxtent des bois ou des champs.

CARACTÉRISTIQUES : la distribution des villages d'accès et celle des terrains d'escalade permettent d'envisager plusieurs itinéraires, tous très agréables et variés. Le relief est accidenté par zones. On rencontre donc des cônes de grès ou de sable, des remparts, des platières, de profondes vallées sèches. En rejoignant La Ferté-Alais ou Boutigny, on prend contact avec l'Essonne *via* des plateaux de cultures.

• Itinéraires (croquis page 222)

ACCÈS : Cars Verts, Villejuif, métro : Louis Aragon. Se renseigner sur les horaires des lignes de Milly et de Videlles (tél. 60.89.20.73). On peut faire halte à Auvernaux ou à Nainville-les-Roches. Retour : gares La Ferté-Alais ou Boutigny pour Paris-Lyon *via* Corbeil ou : car Dannemois ou Soisy-sur-École.

• Itinéraire Auvernaux - La Ferté-Alais : quitter le village par la D 948 puis entrer dans le bois du Cimetière pour grimper dans le massif gréseux de Beauvais (circuits d'escalade, fort belles vues). Descendre sur le village et, à sa sortie méridionale, prendre (direction S.O.) un chemin abrité par les bois. On traverse le cours de l'aqueduc et, en direction de l'O., on atteint un autre lieu de varappe, La Padôle (attention, les rochers sont sur le talus et non près du village). Sur le plateau, un chemin de terre conduit à Mondeville (varappe). Il suffit d'emprunter le GR11 pour atteindre La Ferté-Alais. On peut aussi choisir la variante qui, à partir de Mondeville et le signal et la ferme de Malvoisine, permet d'aller prendre le train à Ballancourt.

• Itinéraire Auvernaux-Boutigny : le parcours est identique à celui qui précède jusqu'à La Padôle mais au lieu de grimper dans les bois, côté nord, il convient de remonter le long de la D 83 et de prendre à gauche, à l'extrémité du virage, le deuxième chemin qui conduit aux Rochers de Videlles (varappe). On traverse ensuite Videlles afin d'emprunter un chemin de terre qui court sur le plateau et passe à l'ouest de la ferme isolée de Launay. Il ne reste plus qu'à descendre sur Boutigny.

• Itinéraire Auvernaux-Dannemois ou Soisy-sur-École : au lieu de se diriger depuis les Rochers de Videlles vers le village, on part en sens inverse en suivant la tranquille D 90 (si on est pressé) ou bien on emprunte le GR 11 qui court ainsi le long des bois. (C'est à Dannemois que repose Claude François).

Si on désire reprendre le car à Soisy, le chemin le plus logique est le GR 11 vers le nord en direction de Beauvais. Au Saut du Postillon, laisser les rochers sur la gauche, passer derrière le « Saut », le sentier menant respectivement au Tertre Noir (peu de vue) puis au remarquable Tertre Blanc, un cône de sable à pente rude (vue splendide). Soisy est en bas.

Carte : I.G.N. au 1/50 000ᵉ, n° 2 316, *Étampes*.

Consulter le topoguide « *Sentier de l'Ile-de-France* » 11-11 C (Seine-et-Marne), Essonne, Yvelines, Val-d'Oise. Oise).

11. L'APOTHÉOSE DES CHAOS ROCHEUX
(de Fontainebleau à Nemours)

DURÉE : 8 heures (sans varappe) ; 30 km.

TYPE : peu de difficultés notables dans la forêt proprement dite mais relief bosselé sur la frange du golfe de Larchant et en fin de parcours. L'érosion, très vive dans les environs de Larchant, accentue le caractère chaotique de cette sortie qui peut fort bien se combiner avec la pratique de la varappe en plusieurs lieux.

CARACTÉRISTIQUES : dans les grands spectacles, les vedettes apparaissent en seconde partie du programme ! Le contact avec les falaises gréseuses du golfe de Larchant fournit un tableau grandiose. On pourrait d'ailleurs rappeler ce mot de Stendhal : « Une montagne de deux cents pieds de haut fait partie de la grande chaîne des Alpes. » Tels apparaissent le fameux monolithe de la Dame Jouanne et quelques géants de grès du côté de Larchant comme aux approches du Puiselet. Quant à Larchant, son caractère médiéval et, surtout, la silhouette impressionnante et désolée de son église, laissent une forte impression sur le visiteur.

• Itinéraire (croquis page 226)

ACCÈS: au départ de Paris, prendre à la gare de Lyon le train pour Fontainebleau-Avon ; au retour, train à la gare de Nemours, changement à Moret pour Paris.

24. L'éveil du geste.
Puiselet.

25 à **29**.
Quelques secondes
d'angoisse
dans ''la Stalingrad''.
Bas-Cuvier.

25 → 29 → 26 à 28

30. Géométrie
dans l'espace :
''13ᵉ travail d'Hercule''.
Apremont.

31

◀**31**. Impressions du matin - "Mare à Piat". **32**. "L'esprit du continent - *Apremont*.

Vu le kilométrage important de cette randonnée et afin de gagner du temps, suivre depuis le carrefour de l'Obélisque le tracé du GR13 jusqu'au carrefour du Bonheur, dans le Rocher des Demoiselles et atteindre au sud le carrefour de Recloses en passant par trois carrefours : Grands Genièvres, Adieux et du Mystère. Après une courte utilisation de la D 301, emprunter le chemin de Recloses à Fontainebleau pour arriver au charmant village de Recloses situé dans une échancrure de la forêt. Recloses a vu son nom se modifier au cours des siècles : Roqueloze, Arcloze, Ercloze, Recloze, Recloses !

Pour atteindre Villiers-sous-Grez, s'offrent deux possibilités : cap plein sud avec l'emprunt de la route puis du GR13 ou par la vallée Mavoisine puis les rochers de la Vignette au sud-ouest. Villiers apparaît comme cerné par la forêt.

Passant près du stade, traverser le rocher Saint-Étienne qui procure de belles vues et rejoindre la petite route de Busseau qui passe sous l'autoroute. A Busseau, prendre le sentier balisé qui se rapproche du groupe de rochers de la Dame Jouanne en offrant notamment, depuis un promontoire, une superbe vue sur Larchant et ses alentours. Descendre au pied de la Dame Jouanne et partir ensuite à l'ouest jusqu'au carrefour Bois d'Hyver. Rejoindre le sentier balisé près du rocher de la Justice et poursuivre jusqu'à Larchant, petite ville jadis fortifiée, alors prospère pour ses foires et son pélerinage. Ce qui reste de l'église martyre est admirable. En furetant, on découvre de vieilles demeures. Une très belle vue s'offre depuis les abords de la ferme du Chapitre.

Pour se rendre ensuite à Puiselet qui est situé au S.E. de Larchant, sur le rebord du plateau, il est conseillé de demeurer sur le GR13 qui zigzague au sud de la D 16. On peut également aborder Puiselet par le plateau en passant par Bonnevault. Un imposant ensemble de rochers est contigu à Puiselet.

Moins d'une heure de marche sépare Puiselet de la gare de Nemours, terme de cette longue et passionnante randonnée.

Carte : n° 401, I.G.N., *Forêts de Fontainebleau et des Trois Pignons*.

Consulter le topoguide du GR13 pour la partie Villiers-sous-Grez/Puiselet.

12. GRANDS ESPACES FORESTIERS ET CAMPAGNARDS

(de Fontainebleau à Malesherbes)

DURÉE : 7 heures 30 (sans varappe) ; 30 km.

TYPE : parcours émaillé de dénivellations rudes et nombreuses jusqu'au Vaudoué, à relief plus calme dans le Gâtinais où cohabitent bois privés truffés de rochers et espaces cultivés.

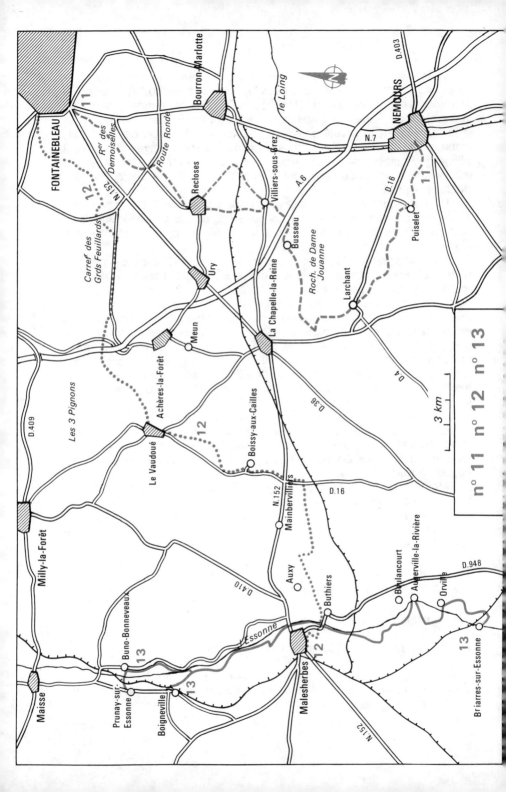

CARACTÉRISTIQUES : sortie « bleausarde » en première partie, elle acquiert un haut degré de pittoresque dans le secteur des Trois Pignons. Solitaire jusqu'à Auxy et Buthiers, le randonneur apprécie à partir du Vaudoué le caractère très champêtre du Gâtinais.

- **Itinéraire** (croquis page 226)

ACCÈS : départ de Paris-Lyon pour Fontainebleau. Retour par la ligne Malesherbes-Corbeil-Paris-Lyon.

Au sortir de la ville, à l'intersection des nationales et route de Milly, carrefour de la Libération, emprunter le sentier Bleu n° 8 qui, passant devant la maison forestière de Fleury, conduit au Mont Fessas puis au Mont Aigu. On aborde ensuite au sud le Long Boyau et l'on traverse une plaine en passant par le carrefour Thouin ou le carrefour Dralet (attention au terrain militaire), avant d'affronter le Rocher de la Salamandre. La route du Griffon, orientée S.O., conduit par le Mont Enflammé au Rocher de la Combe. A l'extrémité occidentale de ce dernier, la route Clémentine mène au carrefour des Grands Feuillards. Suivre vers l'ouest la route de la Haute-Borne jusqu'au carrefour du même nom puis rejoindre l'autoroute du Sud en empruntant la route de la Fontaine Sainte-Marguerite. On passe sous l'autoroute et l'on débouche dans les Cavachelins qui nous introduisent dans le domaine des Trois Pignons. Sa partie occidentale, la plus spectaculaire, ayant été visitée lors des itinéraires 6 et 9, demeurons dans la zone orientale, puis forestière, en passant successivement par la Tortue, la Grande Montagne et le Rocher du Potala avant d'arriver au village du Vaudoué.

Au-delà du Vaudoué, on dispose de peu de possibilités de vagabonder en raison des bois privés et des espaces cultivés. Suivons donc d'abord le GR1 qui traverse un bois à gauche de la route de Boissy-aux-Cailles et entrons dans ce tranquille village (cailles-cailloux). Au sud, paysage remarquable mais sans passages publics. Empruntons en conséquence près du réservoir d'eau la route de Rumont qui traverse bientôt la nationale puis utilisons des chemins de terre pour atteindre la vallée de l'Essonne près de Buthiers (on peut simplement suivre le GR sans passer par Boissy ou encore emprunter partiellement la D 103).

Le sentier qui conduit depuis Buthiers jusqu'au bas de Malesherbes est à éviter en période humide. Il est par contre excellent à partir du cimetière de la ville et traverse le parc du château avant de parvenir à la gare. (Château intéressant).

Cartes : n° 401, I.G.N., *Forêts de Fontainebleau et des Trois Pignons* ; I.G.N. au 1/50 000ᵉ, n° 2 317, *Malesherbes*.

13. LA HAUTE ESSONNE
(de Briarres-sur-Essonne à Boigneville)

DURÉE : 6 heures ; 25 km.

TYPE : le terrain, souvent humide, n'offre aucune difficulté particulière. C'est seulement à Malesherbes et aux alentours immédiats qu'on est réellement en présence de rochers, certains d'ailleurs d'aspect imposant. On peut donc pratiquer la varappe à mi-chemin.

CARACTÉRISTIQUES : la haute vallée de l'Essonne présente un caractère agreste tout à fait inattendu, très dépaysant. On a l'impression d'être très loin de la capitale, impression qui ne s'efface qu'à la fin de la randonnée présentée. Indépendamment du charme de la rivière qui parfois se mue en torrent sous l'action de biefs ou au contraire forme des retenues, on découvre des moulins, des châteaux, des points de vue magnifiques sur la vallée depuis quelque promontoire. Le parcours est d'un intérêt constant.

● **Itinéraire** (croquis page 226)

ACCÈS : au départ de Paris-Lyon, prendre le train pour Malesherbes puis le car jusqu'à Briarres-sur-Essonne ; retour par la gare de Boigneville pour Paris-Lyon *via* Corbeil.

Briarres est un village souriant et tranquille, plein de charme, avec une église intéressante et un moulin qui possède encore sa grande roue et son appareil à engrenage. Il a fonctionné jusqu'en 1977.

S'écartant de la rivière, le GR32 conduit ensuite à un autre village charmant, Orville où, du gué, on aperçoit la roue à aubes d'un autre moulin. Une lieue plus loin, le château d'Augerville présente sa belle silhouette et des douves alimentées par la rivière (il a remplacé un manoir qui appartint à Jacques Cœur, le grand argentier de Charles VII). Prairies, jardins potagers agrémentent un parcours partiellement inutilisable en période d'humidité (le balisage du GR n'a pas été facile dans cette portion de vallée). Le tracé est plus franc à Trézan, où l'infortuné défenseur de Louis XVI, Malesherbes, avait une résidence. On peut aussi demeurer sur la petite route qui suit la rive droite. Encore un moulin à Roncevaux.

La vallée est plus fréquentée au voisinage de Buthiers et sa Base de Plein Air et de Malesherbes. Éviter de traverser la ville mais se méfier en période d'humidité de la portion de sentier qui fréquente les marais (excellent balisage à partir du cimetière).

Dans la partie septentrionale de la ville, des lotissements rendent peu plaisant l'itinéraire qui conduit à Rouville (une route est parallèle au rebord du plateau et mentionne la direction du château de Rouville). Le château domine la vallée puis le sentier dévale vers l'Essonne dans un paysage changeant, ponctué de rochers et particulièrement attachant à Touvaux et à Argeville.

A partir d'Argeville, demeurer sur la petite route qui contourne la Butte-Chatillon et qui conduit à la station de Boigneville (église typique du Gâtinais).

Cartes : I.G.N. au 1/50 000°, n° 2 318, *Pithiviers* et n° 2 317, *Malesherbes*.

Topoguides des GR 32 et 111.

14. DE L'ESSONNE A LA JUINE
(de Boigneville à Étréchy ou à Chamarande ou à Lardy)

DURÉE : 7 heures (sans varappe) ; près de 30 km pour Lardy.

TYPE : ce n'est plus la randonnée typiquement bleausarde, les massifs rocheux étant rares et espacés et les dénivellations importantes limitées. La dominante, c'est le plateau souvent coupé de bois. On peut varapper à Villeneuve-sur-Auvers et à Chamarande.

CARACTÉRISTIQUES : à l'ouest de la vallée de l'Essonne s'étend une zone de plateaux ondulés offrant une vue saisissante vers l'Étampois et révélant brusquement une végétation de résineux (pins, genévriers). Dès lors, champs et bois couronnant des hauteurs alternent. Au large de la vallée de la Juine se dressent des remparts rocheux où l'on peut pratiquer la varappe.

• **Itinéraire** (croquis page 230)

ACCÈS : départ Paris-Lyon pour Boigneville sur la ligne de Malesherbes. Retour par la ligne C du RER (Étréchy, Chamarande ou Lardy).
En quittant la station de Boigneville on se dirige vers Courcelles où, partant d'une petite route, un chemin grimpe au travers une pinède sur le plateau. A la cote 107, on rencontre un chemin de terre nettement tracé, orienté plein nord. Il laisse sur la droite le vallon de Prunay, traverse une route et se rapproche de la ferme de Danjouan et du poste d'eau (vue très vaste, paysage contrasté). Partant de la route de Champmotteux et descendant, vers l'ouest, un chemin emprunte une pelouse naturelle et entre dans la Vallée de Josaphat en bas puis se dirige vers Valpuiseux en passant à l'est du village. Deux chemins (dont un balisé) mènent à Puiselet-le-Marais, isolé au milieu des hauteurs boisées. Grimper ensuite en direction du Grand-Bouville et monter sur le plateau adverse : on peut se dispenser d'atteindre Villeneuve-sur-Auvers en passant par Le Mesnil-Racoin grâce à un chemin de terre qui traverse le plateau. A l'ouest de Villeneuve-sur-Auvers, traverser la pinède et gagner le rempart rocheux qui se dresse entre deux vallons.
Le parcours terminal le plus commode est offert par le GR qui descend sur Étréchy. On peut également emprunter la vallée sèche qui s'évase à Auvers-Saint-Georges mais laissant le village à gauche, on atteint Chagrenon puis Chamarande (beau château brique et pierre, varappe sur le rempart). Pour aller à Lardy, descendre dans le vallon creusé au pied du plateau de Villeneuve, grimper sur le plateau adverse, passer devant la ferme de la Grange-des-Bois puis près de celle de Pocancy, suivre le sentier de lisière pour aller voir le dolmen de la Pierre Levée.
La descente depuis la Pierre Levée jusqu'à Janville s'effectue en attei-

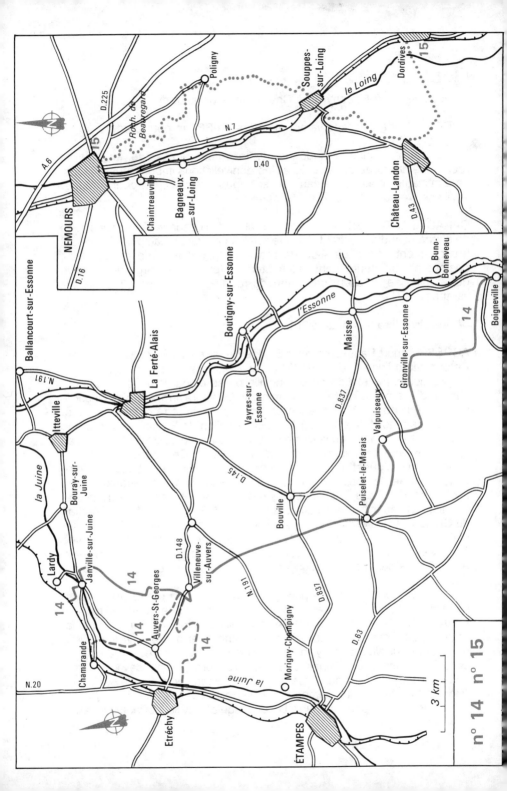

n° 14 n° 15

gnant le rebord du plateau puis en empruntant un sentier qui se fraie un passage entre arbres et rochers. Il suffit dès lors d'atteindre le cours de la Juine qu'on traverse près d'un joli bief, dans un site délicieux, puis de traverser Lardy, la gare étant dans la partie haute.
Cartes : I.G.N. au 1/50 000ᵉ, n° 2 317, *Malesherbes*, n° 2 316, *Étampes*.

15. VERS LES PAYS DE LA LOIRE
(de Nemours à Dordives)

DURÉE : 6 heures 1/2 ; 25 km.

TYPE : au cours de cette randonnée, s'opère une rupture nette entre le terrain bellifontain et les grands espaces campagnards du Gâtinais. La première partie est accidentée à souhait, la seconde fait alterner des rampes, des traversées de plateaux et des descentes sans excessive rudesse.

CARACTÉRISTIQUES : jusqu'à Poligny, s'offre une synthèse des paysages bellifontains et, voici déjà un siècle, Victor Hugo en résumait assez bien la silhouette générale : « Nemours n'est pas dans la montagne mais il a des collines et des ravins. » La dépression dans laquelle se niche Poligny marque une frontière et ce n'est pas recourir à une image que d'affirmer que le dernier bloc de grès hérisse l'échine du sentier à la sortie même du village. Ensuite, c'est la campagne striée par un chemin orienté vers le sud, escorté à distance par des villages et balisé par des postes d'eau. La visite vraiment culturelle de Château-Landon fournit l'ultime centre d'intérêt avant le terme de cette évasion vers les pays de la Loire.

• **Itinéraire** (croquis page 230)

ACCÈS : gare Paris-Lyon, ligne de Laroche-Migennes : arrêt à Moret-sur-Loing et changement pour Nemours. Retour par Dordives, sur la ligne Montargis-Moret (puis changement).
La traversée de la ville est assez longue pour accéder à la forêt. La cité possède un beau château-musée, présente d'agréables bords de rivière et de canal ; elle possède en outre un remarquable musée Régional de la Préhistoire (angle de la route de Poligny).
La prise de contact au sud de la ville avec l'espace rocheux et forestier offre au randonneur un quadrilatère d'environ un kilomètre de large sur deux de long qui est particulièrement riche en conques boisées, cirques, balcons, promontoires. Cette aire est striée de sentiers balisés GR ou sentiers de petite randonnée à marques jaunes ainsi que de sentiers Bleus et de pistes. Ne pas manquer la Roche Feuilletée, les Mammouths, la Pointe Miérolawski, le Pain de Sucre, les Gros Monts et la Table d'Orientation au-dessus de la vallée du Loing.

A partir de la table d'orientation, il suffit de rejoindre le chemin qui est alors large puis de traverser les friches de Poligny. Ce chemin arrive près de l'église de Poligny.

Poligny est un tranquille village installé dans un joli site. Le chemin traverse le village et grimpe sur le plateau qu'il traverse à distance respectable des villages et des fermes des alentours. Sur le rebord méridional de ce plateau, ce chemin s'insère laborieusement dans un ensemble d'habitations collectives avant de dévaler sur Souppes (belle vue depuis le haut de la descente).

Une fois la nationale 7 traversée, atteindre les bords du Loing et, sur l'autre rive, grimper à Château-Landon par un parcours balisé compris entre les D 43 et 201. Château-Landon a été pompeusement baptisé le « Rocamadour du Gâtinais ». Itinéraire de visite et monuments figurent dans le topoguide de la Fédération Française de la Randonnée Pédestre *(Sentiers de petite randonnée Seine-et-Marne-Loiret).*

Pour descendre sur Dordives, suivre d'abord le GR13 sans toutefois aller jusqu'à Nargis.

Cartes : n° 401, I.G.N., *Forêts de Fontainebleau et des Trois Pignons* (pour le quadrillage des environs immédiats de Nemours voir le rectangle à droite dans la partie inférieure).

Au 1/50 000ᵉ, de l'I.G.N., n° 2 418, *Château-Landon.*

INFORMATIONS PRATIQUES

NUMÉROS DE TÉLÉPHONE ET ADRESSES UTILES

En cas d'accident :
Sapeurs-Pompiers . . . . .Tél. 18
Police-Secours . . . . .Tél. 17
Gendarmerie de Fontainebleau . . . . .Tél. 64.22.24.88
S.M.U.R. de Fontainebleau . . . . .Tél. 64.22.66.33
S.A.M.U. de l'Essonne (91). . . . . .Tél. 64.96.91.33
S.A.M.U. de Seine-et-Marne (77) . . . . .Tél. 64.37.10.11
S.M.U.R. de Nemours. . . . . .Tél. 64.28.20.54
Centre de secours de l'O.N.F. . . . . .Tél. 64.22.27.36

Services urgence mains :
Hôpital Bichat. . . . . .Tél. 42.28.80.08
Hôpital Boucicaut . . . . .Tél. 45.54.92.92
Hôpital Saint-Louis . . . . .Tél. 42.49.49.49
Clinique chirurgicale de la Défense .Tél. 47.25.92.00
Centre médico-chirurgical du Chesnay-Parly 2 . . . . .Tél. 39.54.90.44

En cas d'incendie :
Sapeurs-Pompiers . . . . .Tél. 18
PC incendie O.N.F. . . . . .Tél. 64.22.27.36

Adresses :
Office National des Forêts (O.N.F.), centre de Fontainebleau,
217 bis, rue Grande, 77300 Fontainebleau. Tél. 64.22.20.45.

Office National des Forêts (O.N.F.), centre de Créteil,
Immeuble A.G.F., 9-11, rue Thomas-Edison, 94025 Créteil. Tél. 63.77.12.57.

Comité de Défense des Sites et Rochers d'Escalade (CO.SI.ROC.),
7, rue La Boétie, 75008 Paris. Tél. 47.42.36.77.

Fédération Française de la Montagne (F.F.M.),
20 bis, rue de La Boétie, 75008 Paris. Tél. 47.42.39.80.

Fédération Française de la Randonnée Pédestre (F.F.R.P.),
8, avenue Marceau, 75008 Paris. Tél. 47.23.62.32.

N.B. Une liste des clubs et associations est à votre disposition au siège des fédérations. Ces groupes possèdent des structures adaptées pour vous accueillir, vous former, vous perfectionner à la randonnée ou aux techniques du rocher.

HÉBERGEMENT

Campings :
Le terrain du Petit-Barbeau est le seul terrain aménagé au nord-est de la forêt domaniale, il est géré par la Fédération Française de Camping et de Caravaning (F.F.C.C.). Il est payant
Renseignements : Camping du Petit-Barbeau, 77920 Samois-sur-Seine. Tél. 64.24.63.45.
De nombreux terrains de camping municipaux ou privés existent dans les villes et villages proches.

Le terrain de la Musardière, au nord-ouest du Massif des Trois Pignons.
Renseignements : Camping de la Musardière, route des Grandes-Vallées, 91490 Milly-la-Forêt. Tél. 64.24.52.03.

Bivouacs :
Ils peuvent être autorisés aux abords des maisons forestières suivantes : de la Grande-Vallée (D8)*, de la Croix-de-Saint-Hérem (C7), des Barnolets (D4), de Bois-le-Roi (A7/B7)*, de la Solle (B7), des Huit-Routes (B7), du Bas-Bréau (B5), de Franchard (B5).
La lettre et le chiffre, placés entre parenthèses, sont les repères des feuillets de la carte I.G.N./O.N.F. n° 401 (édition 8 - 1985) sur lesquels se trouvent les maisons forestières.
L'autorisation est subordonnée à la présentation :
— soit d'une carte de membre de l'une des associations agréées par l'O.N.F. et ayant souscrit une assurance pour leurs membres,
— soit d'une attestation d'assurance responsabilité civile camping conforme à la réglementation. Ils sont gratuits.
Renseignements : O.N.F., 217 bis, rue Grande, 77300 Fontainebleau.
* *Point d'eau potable.*
Nota : Les points d'eau sont pratiquement inexistants en forêt.

Hébergements collectifs
Auberge de jeunesse :
39, rue Grande-Recloses, 77116 Ury.
Renseignements : M. Thielmann, 13, rue Philippe-Auguste, 75012 Paris.

Gîte d'étape à 3 km au nord-est de Fontainebleau.
Renseignements : M. Guillory, 31, rue des Chapeaux, 77870 Vulaines-sur-Seine.

Refuge de la Ferme du Coquibus (concession O.N.F. aux « Amis de la Nature »).
Amis de la Nature, 197, rue Championnet, 75018 Paris. Tél. 46.27.53.56.

Refuge de la Mère-Canard.
Renseignements : base de Plein-air et de loisirs de Buthiers, 77760 La Chapelle-la-Reine. Tél. 64.24.12.87.

Chalet Jobert, la Dame Jouanne, 77132 Larchant. Tél. 64.28.16.23.

Base de Plein-air de Bois-le-Roi.
Renseignements : U.C.P.A., rue de Tournezy, 77590 Bois-le-Roi. Tél. 60.69.60.06.

Chamarande :
Groupe de Chamarande, Domaine de Chamarande, 91730 Chamarande. Tél. 64.91.24.72.

Hôtels
De nombreuses catégories d'hôtels peuvent vous accueillir :
Renseignements : Comité régional du tourisme et des loisirs d'Ile-de-France, 101, rue de Vaugirard, 75006 Paris. Tél. 42.22.74.43.

Comités départementaux du tourisme :
Seine-et-Marne : Maison du tourisme, Château Soubiran, 77190 Dammarie-les-Lys. Tél. 64.37.19.36.

Essonne : 4, rue de l'Arche, 91100 Corbeil-Essonnes. Tél. 60.89.31.32.

CARTOGRAPHIE :

La carte « Forêts de Fontainebleau et des Trois Pignons » n° 401 au 1/25 000° (édition n° 8-1985) est éditée par l'I.G.N., l'O.N.F. avec le concours des associations intéressés.
Les massifs qui ne figurent pas sur la carte I.G.N. n° 401 peuvent être trouvés sur les cartes I.G.N. au 1/25 000° suivantes (Série bleue).
Rambouillet n° 2 215 est : Dampierre/Maincourt, les Vaux-de-Cernay.
Corbeil-Essonnes n° 2 315 ouest : la Troche.
Étampes n° 2 316 ouest :Chamarande, Étréchy, le Pendu, Rocher Mignot, Sanglier, Villeneuve-sur-Auvers.
Étampes n° 2 316 est : Mondeville, Videlles/Les Roches.
Malesherbes n° 2 317 est : Buthiers/Malesherbes, Maisse/Le Patouillat.
Chateau-Landon n° 2 418 est : Glandelles.

Pour s'orienter en forêt domaniale, les numéros des parcelles forestières figurent sur la carte et se retrouvent en chiffres blancs sur fond noir aux principaux carrefours.
Les cartes au 1/100 000°, série verte (I.G.N.), 20 et 21 permettent d'avoir une vue d'ensemble sur les routes, les chemins, les GR et les gares S.N.C.F.
Une lecture attentive de la légende et des renseignements permet de découvrir des détails et des curiosités insoupçonnés.
Cartes Michelin n° 170. Sports et Loisirs de Plein Air. Environs de Paris.

ÉLÉMENTS BIBLIOGRAPHIQUES :

Ouvrages fondamentaux
J. LOISEAU, Éditions Vigot (1970). Le Massif de Fontainebleau ;
tome 1 : Géographie-Histoire-Généralités ;
tome 2 : Itinéraires-Tourisme.

M. MARTIN, groupe d'escalade du Cuvier, deux fascicules, C.A.F. (1950).

J. BOURGON, M. MARTIN, Rochers de la Dame Jouanne et du Maunoury, fascicule sur l'Éléphant, C.A.F. (1952).

M. MARTIN, Groupe du Puiselet et des environs de Nemours, C.A.F. (1954).

M. MARTIN, Groupe d'escalade entre Juine et École, C.A.F. (1955).

C. BOULVARD, M. MARTIN, Groupe d'escalade de Malesherbes, C.A.F. 1re édition (1953), 2e édition (1960).

Guide de Bleau, topoguide des Groupes de rochers d'escalade, 1re édition (1955), 2e édition (1966), F.S.G.T., G.U.M.S.

J.-P. LEBALEUR, escalades à Buthiers/Malesherbes, BU.PA.LO. (1984).

J.-P. LEBALEUR et A. MELCHIOR, escalades à Fontainebleau ; Franchard Isatis, BU.PA.LO. (1986).

F.S.G.T., L'Enfant et l'escalade ; topoguide de la région de Fontainebleau, F.S.G.T. (1982).

Guides
Guides des sentiers de promenade dans le Massif forestier de Fontainebleau édité par les Amis de la Forêt, 4e édition (1982).

Topoguides des sentiers de grande randonnée, GR1, GR2, GR11, GR13, etc. et PR (petites randonnées), édités par la Fédération Française de la Randonnée Pédestre.

R. ALLEAU, Guide de Fontainebleau mystérieux, les guides noirs, Éditions Tchou-Princesse (1977).

Guides géologiques régionaux :
Ph. DIFFRE et Ph. POMEROL, Paris et environs, Masson (1979).
Ch. POMEROL et L. FEUGUEUR, Bassin de Paris - Ile-de-France, Masson (1974).

Revues
Bulletin de l'Association des Amis de la Forêt de Fontainebleau, Office du Tourisme, 31, place Napoléon-Bonaparte, BP 24, 77302 Fontainebleau.

Bulletin de la section de Paris du Club Alpin Français, en particulier les articles de G. KOGAN (n° 35, décembre 1953), de M. RENAUDIE (Paris-Chamonix n° 25, janvier 1978) et P. BONTEMPS (Paris-Chamonix n° 23, juillet 1977).

La Montagne et alpinisme, revue du Club Alpin Français. En particulier le bulletin Alpin (septembre 1978), les articles de R. TRUFFAUT (n° 4-1977, pages 198/201) et de FRISON-ROCHE (1983, page 348).

Bulletins de l'Association des Naturalistes de la vallée du Loing et du massif de Fontainebleau, Laboratoire de biologie végétale, route de la Tour Denecourt, 77300 Fontainebleau.

Bulletins du Groupe d'études, de recherches et de sauvegarde de l'art rupestre (Gersar), Mairie, 91490 Milly-la-Forêt.

Ouvrages généraux et récits
G. CASELLA, L'Alpinisme, Éditions Slatkine (1980), réimpression de l'édition de Paris, 1913.

MARIUS COTE-COLISSON, La Randonnée pédestre, Éditions P.U.F. Que sais-je ? (1979) Paris.

P. DOMET, Histoire de la forêt de Fontainebleau, Laffite-Reprints (1979), réimpression de l'édition de Paris, 1973.

M.T. DE FORGES, Barbizon, et l'école de Barbizon, Éditions Lieu-dit/Le Temps (1971).

F. HERBET, Dictionnaire historique et artistique de la forêt de Fontainebleau, Éditions Culture et Civilisation, Bruxelles (1977), réimpression de l'édition de 1903.

B. KALAORA, Le Musée vert ou le tourisme en forêt, Éditions Anthropos (1981), Paris.

Fontainebleau : châteaux, forêts et paysages en Seine-et-Marne, Éditions Le Temps (1978), Paris.

R. DESMAISON, La Montagne à mains nues, Éditions Flammarion (1971), Paris.

Le Bleausard, Centre de documentation Alpine Lucien Devies, 7, rue La Boétie, 75008 Paris.

R. PARAGOT et L. BERARDINI, Vingt ans de cordée, Éditions Flammarion (1974), Paris.

Les Circuits d'escalade du Cuvier, CO.SI.ROC. 1978.

Recommandations pour l'entretien des circuits d'escalades, Éditions du CO.SI.ROC. 1982.

G. TENDRON, la forêt de Fontainebleau ; de l'écologie à la sylviculture, O.N.F. (1983).

S. JOUTY, Bleau, La Forêt de Fontainebleau et ses rochers, ACLA (1982).

D. TAUPIN, Guide des écoles d'escalade et autres lieux grimpables de France, CO.SI.ROC. (2ᵉ édition 1984).

Fontainebleau, Sables et Grès, bulletin d'information des géologues du bassin de Paris, n° 21/2 (1984).

Les Noms de lieux de Paris et d'Ile-de-France, Centre de documentation de Paris.

TABLE DES MATIÈRES

Achevé d'imprimer en juillet 1992
sur les presses d'Aubin Imprimeur Ligugé-Poitiers (86)
Photocomposition par Nord-Compo à Villeneuve-d'Ascq (59)
N° d'édition 13818 - N° d'impression P 40618
Dépôt légal : juin 1988
Imprimé en France